Das Buch

Auf die kleinen Schwächen im täglichen Miteinander hat er es abgesehen, der Spottvogel Eike Christian Hirsch. So fällt mancher Zeitgenosse seiner unerbittlichen Beobachtungsgabe und seinem unverkennbaren Hang zur Bissigkeit zum Opfer, wobei seine eigene Person mitnichten verschont bleibt. In 84 Spott-Reportagen voll liebenswürdiger Gemeinheit plaudert Hirsch von Peinlichkeiten und Fehlleistungen im Alltagsleben, gibt er mit fröhlicher Indiskretion Unzulänglichkeiten und Macken preis, die man bislang unter dem Mantel des Verschweigens sicher verborgen wähnte. Was verraten also Hunde über die geheimsten Wünsche ihres Herrn? Mit welchen Trinkgeldern läßt sich eine Beleidigung aussprechen? Wie entsorgt man auf einer Gartenparty inmitten umweltbewußter Gäste eine Zigarettenkippe? Oder wie öffnet man während einer Zugfahrt eine fest verschweißte Packung Nüsse, die (beinahe) jeder Zerreißprobe standhält – ohne sich zu blamieren, versteht sich! Der geneigte Leser wird schwerlich umhin können, sich in dem einen oder anderen Porträt wiederzuerkennen – und dabei herzhaft zu lachen.

Der Autor

Eike Christian Hirsch, geboren am 6. April 1937, ist promovierter Theologe, Rundfunkredakteur und Verfasser satirischer Betrachtungen. Für seine Deutung des Komischen in seinem Buch ›Der Witzableiter‹ erhielt er 1986 den Kasseler Literaturpreis für grotesken Humor. Von ihm erschienen u. a. die Glossen ›Deutsch für Besserwisser‹ (1976), ›Mehr Deutsch für Besserwisser‹ (1979), ›Den Leuten aufs Maul‹ (1982) und zuletzt ›Wort und Totschlag‹ (1991).

Eike Christian Hirsch:
Kopfsalat
Spott-Reportagen für Besserwisser

Deutscher
Taschenbuch
Verlag

Von Eike Christian Hirsch
sind im Deutschen Taschenbuch Verlag erschienen:
Den Leuten aufs Maul (10823)
Mehr Deutsch für Besserwisser (10992)
Expedition in die Glaubenswelt (11047)
Der Witzableiter (11483)
Deutsch für Besserwisser (30028)

Tochter Eva,
schön und gut,
voll Zärtlichkeit
und voller Wut.

Ungekürzte Ausgabe
Juni 1992
Deutscher Taschenbuch Verlag GmbH & Co. KG,
München
© 1988 Hoffmann und Campe Verlag, Hamburg
ISBN 3-455-08287-4
Umschlaggestaltung: Celestino Piatti
Umschlagabbildung: papan
Umschlagfoto Rückseite: Karl-Heinz Meybohm
Gesamtherstellung: C. H. Beck'sche Buchdruckerei,
Nördlingen
Printed in Germany · ISBN 3-423-30309-3

Inhalt

1 Schall und Rauch
Die Kunst, sich vorzustellen 7 – Mein Name ist Hase 9 – Schwarzfahren 10 – Mich gibt es doppelt 12 – Die Augen des Spanferkels 14 – Junggesellen 15 – Gut eingespielte Ehe 17 – April, April! 19 – Auftritt bei Millionen-Müller 20 – Therapie für Titelsüchtige 22

2 Auf Herz und Nieren
Überzeugungsarbeit 24 – In aller Bescheidenheit 25 – Anstelle ihres Herrn 27 – Trinkgeld 29 – Man hat ihn 30 – Wie man sich bettet... 32 – Spiegelbilder 34 – Outfit für Darsteller 35 – Wo denken Sie hin! 37 – Herr Meyer küßt wieder 39

3 Schlingen und Schliche
Kompensieren 41 – Magische Kreise 42 – Der Alltag schielt 44 – So ist das Leben 46 – Fortschritt verzehrt 47 – Selbst gefangen 49 – Trapper und Fallensteller 51 – Nötigung 52 – Vorsicht, Fachmann! 54 – Wohltuend beschränkt 56

4 Altes und Neues
Flachdach 58 – Spritzen 60 – Das Lineal als Ideal 61 – Ruf mal an! 63 – Fernsehen ist einfach anders 65 – Alles für die Gesundheit 66 – Die neue Frau 68 – Mückentränke 70 – Ich stelle mich (aus)! 71 – Alles kommt wieder 73 – Neues Dorf, ganz alt 75

5 Schein und Sein
Gäste, ferngesehen 77 – Wie im Kino 79 – Unsterblichkeit 80 – Schenken im Überfluß 82 – Freizeit, ausgefüllt 84 – Langschläfer 85 – Wie es früher war 87 – Der Mond als Mattscheibe 89 – Puzzle 90 – Was Zeitschriften einem antun 92

6 Sitten und Bräuche
Männerprivileg 94 – Einer mußte es ihm sagen 95 – Kippen 97 – Nikotinismus 99 – Im Konzert 100 – Hier Hallo! 102 –

Parknotstand 104 – Es liegt am Wege 106 – Bescheiden wie ein Autor 107 – Peinlich, peinlich! 109 – Wer nichts hat ... 111

7 Handel und Wandel
Gebrauchsanweisung 113 – Eingefahrene Wege verlassen 114 – Nach Gutsherrenart 116 – Die glücklichen Raucher 118 – Schmink-Set 120 – Keimfrei 121 – Schildbürger 123 – Preis nie nackt 125 – Hat schon alles 126 – Geschmack, Geschmack 128 – Die armen Reichen 130

8 Vorteile und Vorurteile
Charismatische Führungskräfte 132 – Schönheit siegt 133 – Erfolgsorientiert 135 – Asarum europaeum 137 – Der Reisemarschall 138 – Als Pazifist und Kavalier 140 – Abheben 142 – Notlügen 143 – Liebesromane und Pornohefte 145 – Vorteile durch Vorurteile 147 – Opa Neumann 148

I
Schall und Rauch

Die Kunst, sich vorzustellen

Es ist gar nicht so leicht, seine wahre Persönlichkeit passend ins Spiel zu bringen. In den Osterferien saß ich in südlicher Sonne mit einem Mann zusammen, der diese Kunst beherrschte. »Vor einem Jahr waren wir mit unserem Wohnmobil in der Toskana«, sagte er, »da hatten wir mehr Glück mit dem Wetter.« Er hatte mir einen Köder hingelegt, ich biß an und fragte nach dem Wohnmobil, wobei ich hören durfte, Ferien auf den eigenen vier Rädern sei überhaupt das Äußerste.

Weil ich wohl doch nicht so richtig heiß wurde bei dem Gedanken an so ein rollendes Wohnklosett mit Kochnische, schob mein Gegenüber das nächste Lockangebot nach. »Hauptsache, ich bin in den Ferien weit weg von jedem Telefon«, sagte er geheimnisvoll. Mußte ich da nicht nachfragen, um welchen aufregenden Beruf es sich wohl handeln könne?

Klinikarzt sei er, gab er bescheiden lächelnd zu erkennen. Und ehe ich noch fragen konnte, in welcher bedeutenden Klinik er auf so unentbehrliche Weise wirke, daß er auch zu Hause noch ständig angerufen werde, machte er die nächste rätselhafte Andeutung: »Und in der Klinik werde ich wohl auch bleiben.« Mußte ich nicht fragen, warum das so sei? Ja, ich mußte.

Er gab sich jetzt in wirklich liebenswürdiger Bescheidenheit ganz zu erkennen, indem er sagte: »Ich werde da bleiben, weil ich die Endstufe erreicht habe.« Endstufe, ich kombinierte schnell, was konnte das anderes heißen, als daß er Chefarzt war! Und auf genau den Trichter hatte ich sicherlich auch kommen sollen. Chefarzt, Traumberuf und erotischer Magnet für alle Frauen, wie man aus alten Filmen weiß. Hätte er es mir schonender beibringen können? Ich nickte versonnen und blickte zu ihm auf.

Sich vorstellen in seiner ganzen Bedeutung, aber so, daß man sich fragen läßt – anderen gelingt das immer. Vom Vorbild meines Gegenübers angespornt, versuchte ich es meinerseits. Als er mich bald in einem Tennisspiel über den Platz scheuchte, stöhnte ich vernehmbar: »Das ist ja anstrengender als Bücherschreiben!« Aber damit weckte ich leider noch keinerlei Nachfragen.

Nach dem Spiel versicherte ich treuherzig, daß ich in den Ferien vor allem meine Stimme mal schonen müsse. Diese an sich doch wirklich interessante Feststellung blieb wiederum ohne neugierige Erkundigung. Und selbst als ich bei passender Gelegenheit fallenließ, der große Martin Heidegger habe sich mal persönlich an mich gewandt, indem er zu mir und den Umstehenden sagte: »Naiver junger Mann« – immerhin eine Sternstunde meines Lebens –, wurde diese Charakterisierung nur beifällig aufgenommen, ohne eine Ermutigung, von den Umständen dieser denkwürdigen Begegnung zu erzählen.

Am Ende der Ferien, wir hatten uns inzwischen angefreundet, überreichte mir mein Halbgott in Weiß zum Abschied seine Visitenkarte. Ach Gott, ein Blick darauf zeigte mir: Er arbeitete in einer Stadt, deren Namen ich noch nicht gehört hatte. Er war auch nicht der Chef der ganzen Klinik, sondern einer der Chefärzte; allerdings Anästhesist, gehörte also zu einer Sparte, die, obwohl sehr wichtig, ständig unter Minderwertigkeitsgefühlen leidet.

»Aha«, sagte ich, »du schläferst die Leute ein, und ich versuche, sie hellwach zu machen!« Das war mein letzter Köder. Aber zu spät. Er reichte mir nur noch die Hand. Bis heute ahnt er nicht, wie bedeutend auch ich bin.

Mein Name ist Hase

Deutschlands längster Mann, er mißt zwei Meter dreiundzwanzig, heißt Konstantin Gerhard Klein. Familiennamen passen oft zu gut oder ganz und gar nicht. Die einzige evangelische Journalistin in Bayern, die ich kenne, heißt Maria Rosenkranz. Das ist schon fast ein Berufshindernis. Manchmal geht das auch gut, so werden unter dem Namen Dornbusch ganz erfolgreich Herrenhemden hergestellt, die gewiß nicht kratzen. Herr Karl Schweißfurth jedoch, der eine große Wurstfabrik betrieb, entschloß sich, seinen Familiennamen nicht zum Firmennamen zu machen. »Schweißfurths Wurst« wäre dreifach eindeutig. Er wählte einen weiblichen Vornamen, Herta, als Markenzeichen.

In Hinterzarten, mitten im schönsten Schwarzwald, gab es einen Autoverleih Tippeltwohl. Eine Speditionsfirma heißt Schneckenreiter, wahrscheinlich bekannt für ihr Expreßgut. Ebensowenig eine reine Empfehlung ist wohl der Name einer anderen Spedition, Zufall (»Habe Ihre Ware durch Zufall erhalten.«) Bisher kannte man vornehmlich Kommissar Zufall von der Kripo. Während ich dem noch nicht persönlich begegnet bin, weiß ich von einem Kriminalhauptkommissar Zorn. Wenn man doch von jedem Übeltäter sagen könnte: »Da packte ihn der Zorn...«

Es geht auch oft genug andersherum, wie man sieht, nämlich sehr passend. Am meisten ist mir das bei Zahnärzten aufgefallen, die gerne Bohrmann heißen, Schnappauf oder Wimmer. An der Ostsee gibt es auch den Zahnarzt Qualen (»Habe heute wieder Qualen ausgestanden«), in Heidelberg heißt einer Kiefer, in Berlin gibt es Dr. Zahn und in Saarbrücken Dr. Kares.

Wem wäre bei unserem göttlichen Schalksnarr aus dem Fernsehen noch nicht aufgefallen, daß er passend Gottschalk heißt. Kein Zufall kann es auch sein, daß der Präsident des Bundeskartellamtes Wolfgang Kartte heißt. Er schreibt sich mit zwei t, muß man leider einräumen, aber sonst Kartte wie Kartellamt. Bei der Ruhrkohle in Essen hat der Bund das Sagen, lange Jahre war das der Vorsitzende Karlheinz Bund. Ein Pressesprecher der SPD hieß Helmut Schmidt. Und der

Pressesprecher des Weißen Hauses war jahrelang Larry Speakes. Wenn der redete, sagte man: Larry speaks.

Daß Namen Schall und Rauch seien, hat Goethe behauptet. Ein anderes geflügeltes Wort, das dem zu widersprechen scheint, stammt von dem Jurastudenten Victor von Hase. Als der im Jahre 1855 in Heidelberg vor Gericht stand, sagte er nur immer wieder: »Mein Name ist Hase, ich weiß von nichts.« Das war damals neu. Die Einfalt dieser Worte paßte aber so gut zum Nachnamen, daß der Ausspruch immer noch zitiert wird.

Und wer gehörte zu den ersten, die eine Benzin-Kutsche gebaut haben? Ein Mann namens Benz, Carl Friedrich Benz. Das ist nicht zugleich auch der Erfinder des Benzins, so sehr diese Vermutung nahelage. Aber ein Vater des Benzin-Zeitalters ist er doch geworden.

Anspielungen, wohin man sieht. Ein deutscher Gelehrter namens Helmut Seiffert (sein Name enthält keine Anspielung) hat mir einige seiner Beobachtungen mitgeteilt. Notiert hatte er einen Bibliotheksdirektor Klotzbücher, einen Klinikprofessor namens Bettendorf und den Referenten für Blutspenden beim Deutschen Roten Kreuz, er hieß Herzbach. Seine eigene Schwester, sagte mir Seiffert, heiße Ebba mit Vornamen und habe einen Herrn Habbe geheiratet. Zufall könne auch das nicht gewesen sein.

Schwarzfahren

Im Eisenbahnabteil habe ich Hunger, da leuchtet mir aus meiner Tasche die Verpackung mit der Nußmischung entgegen. Ich reiße den Karton auf, zum Vorschein kommt ein Tütchen aus zäher Plastikfolie, die Nüsse sind auffallend gut zu sehen. Das Wasser läuft mir im Munde zusammen. Ich reiße an der oberen Schweißnaht.

Nichts rührt sich. Die Plastikhaut ist eindrucksvoll dick. Aber man soll sich nicht einschüchtern lassen. Meist ist eine Kerbe vorbereitet, an der man die Packung aufreißen kann.

Nein, diesen Schnitt hat der Verpackungsingenieur meiner Hannoverschen Weltfirma nicht vorgesehen. Und er hat ja recht: Wer als Kunde schon so weit gekommen ist, daß er nur noch die Tüte aufkriegen müßte, kann die Ware sowieso nicht mehr zurückgeben.

Also los! Mit beiden Daumen gegeneinander – reißen! Ja, da dehnt sich die Plastikhaut schon, wird an der beanspruchten Stelle milchig-undurchsichtig. Verheißungsvoll. Jetzt still weiterarbeiten. Der ältere Herr mir gegenüber bekommt so einen mitleidigen Zug um den Mund, diskret zeigt er nur still auf seine Zähne und murmelt: »Vielleicht geht es damit.« Ja, danke für den Tip. Ich beiße auf den schartigen Plastikrand der Tüte, zerre mit beiden Händen. Kein Erfolg. Nun weiß ich mir endgültig zu helfen, ich ziehe einfach das Schlüsselbund und bohre eine Schlüsselspitze in die Plastikhaut. Vergebens. »Ich habe«, sagte der alte Herr, »leider auch kein Taschenmesser bei mir.«

Da fällt mir ein, wie es wirklich geht. Man muß nicht von oben den Rand einreißen, sondern die Plastiknaht von unten auseinanderziehen. Also in die beiden Seiten der Tüte gefaßt und rei-ei-ß-en!! Ich werde es dem Alten zeigen, wie das die Jugend dennoch hinkriegt. Hauruck! Kraftvoll platzt die Tüte auf, wunderbar. Ich platze auch – vor Stolz. Was macht es da, daß es Nüsse hagelt. Offen gestanden, die Tüte in meiner Hand ist leer. Die Nüsse sind auf die Polster geflogen. Und in den Fußraum. Der Herr mir gegenüber nickt mir in voller Anerkennung meiner Leistung zu und überreicht mir eine Nuß von seinem Hosenbein.

Was die paar anderen verstreuten Nüsse angeht, die soll man aufheben. Es sind ja sowieso gesalzene Nüsse, sage ich mir, da werden sie jetzt auch nicht viel anders schmecken als vorher. Ich rutsche auf die Knie und beginne zu suchen.

Unter meiner Sitzbank liegen die meisten, ich weiß auch nicht, wie sie da hingekommen sind. Von dem Versuch, jetzt schon zu probieren, nach welchem Salz die Nüsse inzwischen schmecken könnten, sehe ich ab, obwohl sich derweil ein weiteres Problem einstellt: Wie schaffe ich es, bei einer so gebückten Haltung das Wasser, das mir noch immer im Munde zusammenläuft, in demselben zu behalten?

Ja, Bücken reicht nicht, ich komme nicht an alle Exemplare, die man einsammeln könnte, heran. Ich muß schon ganz hinunter und einen langen Arm machen. Neue Heldentaten warten auf mich, denn dort ist es ziemlich dunkel und auch, wie soll ich sagen, etwas schmuddelig. Das Wort »schwarzfahren« bekommt einen neuen Sinn, wenn man ein Abteil in dieser Haltung, auf dem Bauch unter der Bank liegend, kennenlernt.

Da höre ich, wie die Abteiltür aufgeht, und über mir donnern die Worte: »Ich habe Sie schon gesehen, mein Herr. Bitte auch von Ihnen die Fahrausweise!«

Mich gibt es doppelt

In einer tunesischen Flughafenhalle unter lauter braungebrannten deutschen Feriengästen schlenderten meine Familie und ich. Wir alle warteten auf den Heimflug. Da merke ich, wie ein unglaublich gut aussehender Herr mich freundlich mustert und gemessen sein Haupt neigt. Ich grüße ebenso höflich zurück, bin aber ganz sicher: Den kenne ich nicht.

Als wir wieder bei ihm vorbeikommen, fragt er sanft: »Herr Hirsch, nicht wahr?« Ich stimme eifrig zu in der leutseligen Art, die ich nun mal an mir habe, und sage nur: »Ja, gut erkannt.« Mag dieser Mann mit den rehbraunen Augen mich kennen, ich kenne ihn wirklich nicht. Wahrscheinlich einer aus unserem Sendegebiet, denke ich, der mich mal im Fernsehen gesehen hat. Die Bekanntschaft ist etwas einseitig, kann ja vorkommen.

Als ich mich später im Flugzeug zufällig umdrehe, sitzt die edle Erscheinung keine fünf Reihen hinter uns, gleich am Gang. Und dabei fällt mir ein, dieses Ferienflugzeug fliegt ja gar nicht in unsere norddeutsche Heimat, wir haben von der Pfalz aus gebucht! Alles Pfälzer um uns herum. Und nun wird mir endlich klar, woher der vornehme Herr mich kennt. In der Gegend lebt nämlich mein Zwillingsbruder, die andere Hälfte von uns Eineiigen.

Also gehe ich ein paar Reihen nach hinten, will mich für

meine Begriffsstutzigkeit bei dem Mitreisenden entschuldigen, da kommt er mir zuvor: »Ich verstehe schon, daß Sie mich nicht wiedererkennen, Sie sehen mich sonst nur im weißen Kittel, ich bin Ihr Zahnarzt.« Tatsächlich, mein Bruder hat mir mal erzählt, er sei bei dem schönsten Zahnarztehepaar Süddeutschlands in Behandlung, noch schöner als der Mann wäre nur seine ebenfalls praktizierende Ehefrau. Ein Blick nach links bestätigt mir das, da sitzt sie, hinreißend großartig. Auch sie sieht mich an mit der Gewißheit, mich schon oft behandelt zu haben.

»Meinen Zahnarzt habe ich ganz anders in Erinnerung«, fange ich zögernd an, um den Fall endlich aufzuklären, aber so geht es auch nicht. Die beiden blicken sich kurz an, als wollten sie sich darüber verständigen, daß für diese Störung wohl die Kollegen von der Psychiatrie zuständig seien. »Wissen Sie«, bringe ich nun stammelnd heraus, »mich gibt es zweimal auf der Welt...«, aber das scheint die Diagnose nur zu bestätigen. »Glauben Sie mir, ich bin der andere«, versuche ich es noch einmal. Die müssen mich doch als Doppelgänger erkennen!

Nun fruchtet auch das Stichwort »Zwilling« nichts mehr. Also ziehe ich meine letzte Karte und blecke die Zähne, während ich hervorzische: »Ist das etwa Ihre Arbeit?« Damit errege ich aber nur die Aufmerksamkeit der übrigen Passagiere, die wohl glauben, nun hielte ich mich auch noch für ein Raubtier. Das schöne Zahnarztpaar nickt nur immer milde dazu, um mich zu besänftigen, während ich mich, geschlagen, allmählich zurückziehe.

Am Flughafen warten wir alle auf unser Gepäck. Diese Wartezeit ist meine letzte Chance. Ich bitte die Herrschaften, doch einmal mitzukommen, und führe sie an die Glasscheibe, die uns Reisende von den uns abholenden Angehörigen trennt. Da steht er, mein Zwillingsbruder, außer sich vor Vergnügen, daß sich sein Bruder und seine Zahnärzte gefunden haben. Das schöne Paar blickt nun von einem von uns zum anderen und nimmt Gelegenheit, vorübergehend auch mal am eigenen Verstand zu zweifeln. Offen gesagt, es war mir eine Genugtuung.

Die Augen des Spanferkels

»Bitte wählen Sie etwas Gutes«, sagt der Mann mir gegenüber, der so nett war, mich in dieses Restaurant einzuladen. Jeder vertieft sich in seine Speisekarte, und ich weiß, der Augenblick der Wahrheit naht. »Haben Sie gewählt?« fragt mein Gastgeber, und nun flüstere ich: »Noch nicht, ich will erst mit dem Ober sprechen, ich bin nämlich Vegetarier und habe noch nichts gefunden.« Der Mann mir gegenüber ist verwundert, er ist überrascht, ja mehr noch: Er ist etwas unsicher.

»Wieso denn das?« fragt er. »Och«, sage ich, um ihn abzulenken, »ein Vegetarier ist ein Mensch, der beschlossen hat, nur noch zu vegetieren.« Er lächelt höflich, und wir wechseln das Thema. Der Ober kommt, er berät mich, und bald wird uns serviert. »Wunderbar«, sage ich und schnuppere an meinen mit Käse überbackenen Kartoffeln. Mein freundliches Gegenüber prüft erst mal sein Filetsteak mit einem scharfen Schnitt. Etwas Blut fließt heraus, er nickt zufrieden. Doch da scheint ihm aufgefallen zu sein, daß ich leider zu ihm hingesehen habe.

»Was starren Sie denn so auf meinen Teller?« bricht es aus ihm heraus, »nun gönnen Sie mir doch meine kleinen Sünden.« Ich beeile mich, ihm zu versichern, daß ich nichts gegen seine Genüsse hätte. »Und warum sind Sie dann Vegetarier? Sie gehören doch bestimmt zu den Leuten, denen die armen Tiere leid tun und die kein Blut sehen können.« Und dabei versucht er, die wässerig-rote Flüssigkeit, die aus seinem Filet rinnt, mit zerdrückten Kartoffeln aufzufangen und wegzuschaffen. Ich nehme mir vor, nicht mehr hinzusehen. Mit leisem Stöhnen sagt er: »Ja, ja, die Schlachthöfe, ich könnte es ja selbst auch nicht.« Und er fügt wie zu seiner Ermunterung hinzu: »Aber es schmeckt nun mal, und verboten ist es schließlich nicht.« Ich pflichte ihm nachdrücklich bei.

Nach einer Pause nimmt er das Thema wieder auf. »Spanferkel kann ich auch nicht so gut essen, wissen Sie, wo einen die toten Augen so ansehen.« Und wie einen Fluch setzt er die Worte hinzu: »Das ist ja Leichenschändung, das ist ja

Fledderei!« Ich versuche, ihn auf andere Gedanken zu bringen. »Alle Tiere müssen mal sterben«, sage ich, »nur schade, daß sie in der Mast so widernatürlich gehalten werden. Keinen Schritt gehen, nur stehen, das Tageslicht nicht sehen, bis sie in den Transporter getrieben werden und ihr Schicksal zu ahnen beginnen.«

»Hören Sie auf!« ruft er, nun schon lauter, »Sie sehen mich ja mit den toten Augen eines Spanferkels an!« Und indem er sich einen Ruck gibt, fügt er hinzu: »Also, mir schmeckt es.« Aber ich sehe, wie er nur die Erbsen zerdrückt und zum Munde führt. Dann stochert er wieder im Essen. »Es freut mich, wenn es Ihnen schmeckt«, sage ich mit bemühter Heiterkeit, »mein Käse schmeckt mir ebenso, und der ist bestimmt auch nicht von glücklichen Kühen.«

»Sie können ja nichts dafür«, sagt er dann etwas ruhiger, »man darf sich nur nicht klarmachen, welche Mäster und Schlächter man beschäftigt, bis das Ding auf den Tisch kommt...« Mit diesen Worten schiebt er den Teller von sich weg, zerknüllt seine Serviette und legt sie daneben. »Sie haben mir netterweise Ihr Filet hingeschoben«, sage ich, »aber ich kann es leider auch nicht essen, denn, um die Wahrheit zu sagen: Ich mag einfach kein Fleisch. Das ist alles.«

Junggesellen

Die Antworten auf die Frage, was ein Junggeselle sei, fallen sehr unterschiedlich aus, je nachdem, wen man fragt. »Ein Junggeselle ist ein Mann, der sich immer zuerst nach dem Notausgang erkundigt«, lautet eine Definition, die spöttisch und bewundernd zumeist von Ehemännern vorgebracht wird. »Ein Junggeselle ist ein Mann, der einen besonderen Sinn fürs Happy-End hat.« Auch da spricht die Trauer über das eigene Schicksal, denke ich mir.

Ganz richtige Junggesellen gibt es heute kaum noch, denn die unverheirateten Kerle in den besten Jahren sind geschieden und damit ehegeschädigt, an Frauen nicht interessiert oder mit einer Lebensgefährtin (klingt nach Lebensgefährdung) verbunden. Aber früher gab es sie, die ledigen Herzensbrecher in guter Position, von Frauen umschwärmt, von Männern sowohl gefürchtet wie beneidet und selbst ständig bereit, ihren Zustand zu rechtfertigen. Aber gehen wir der Reihe nach.

Da waren die Ehefrauen. Sie bewunderten den Junggesellen als einen Helden, der noch nie endgültig bezwungen worden war. Wurde er nicht auch ihnen himmlisch gefährlich? Daher sagten die Ehefrauen: »Ein Junggeselle ist ein Mann, der seine Ringe unter den Augen trägt.« Ein nachtaktives Sinnentier also. Prickelnd, prickelnd.

Die nicht verheirateten Damen, damals »Fräulein« genannt, sahen das anders, denn sie hatten schließlich ihre Erfahrungen machen müssen. Für sie war ein Junggeselle ein Mann, der für die Liebe mit Fersengeld zu zahlen pflegt. Oder gar einer, »der kneift, wo er gekniffen hat«. So etwas tut man nicht. Am Ende stand der Verdacht, er sei einer, »der sich keiner Frau gönnt«. Ein Narziß.

Wieder anders sahen das die Ehemänner. Sie betrachteten den Junggesellen durchaus mit Wehmut. Mark Twain meinte, Ehemänner begrüßten einen Junggesellen, der sich verheiraten will, mit der gleichen Genugtuung in ihrem Kreis, mit der Zirkuslöwen einen Ankömmling aus der freien Wildbahn empfingen. Und während sie ihm zuprosteten, flüsterten sie anerkennend: »Bei so einem Kerl wie ihm endete bislang noch jede Verlobung glücklich.« Denn eins schien klar zu sein, so ein Junggeselle verstand sich auf die Kunst, einer Frau in die Arme zu sinken, ohne ihr in die Hände zu fallen.

Bleibt noch nachzutragen, was die Junggesellen über sich selbst zu sagen pflegten. Der Standardspruch lautete: »Warum gleich ein Bergwerk kaufen, wenn man einen Eimer Kohlen braucht?« Oder so ein Bursche sagte, maliziös lächelnd: »Ich gehöre zu denen, die lieber suchen als finden.« Man hörte es mit Befriedigung, so ein Junggeselle war wenigstens von dem Zwang geplagt, seine Ehefeindlichkeit zu entschuldigen. Noch ein bißchen aggressiver klingt es, wenn sich zwei Junggesellen untereinander verständigen: »Wir gehören zu denen, die lieber Socken als Mäuler stopfen und die sich lieber besteuern als steuern lassen.« Meinetwegen.

Obwohl diese erfahrenen, gefährlichen Herzensbrecher auszusterben drohen, läßt der Gedanke an sie uns Ehemännern doch keine Ruhe. »Vielen Frauen untreu, statt einer Frau treu« – na, wie wäre das, mein alter Junge! Das, alter Schwerenöter, sitzt natürlich. Nein, nein, ich verscheuche den Gedanken sofort. Bloß keine Mißgunst aufkommen lassen! Ich sage mir trotzig: »Ein Junggeselle ist ein Mann, der sich nur noch nicht getraut hat, sich trauen zu lassen.«

Gut eingespielte Ehe

Ehe ist himmlisch. Man hat immer einen Menschen neben sich, an den man sich wenden kann, man weiß immer, wer am eigenen Unglück wirklich schuld ist – und überhaupt. Er, ein häuslicher Typ, sagt: »Wenn ich heimkomme, ist das Nest schon warm.« Sie sagt: »Immer hat man nun jemand, mit dem man ausgehen kann.« Sie jubelt: »Nie ist man allein!«, und fast genauso spricht er: »Nie ist man allein«, allerdings etwas seufzend. Aber sonst ist Ehe himmlisch.

Bis auf die Kleinigkeiten natürlich, an denen beide täglich ihre Toleranz erproben können. Er entdeckt die Zahnpastatube unverschlossen und halb ausgetrocknet; sie findet Haare im Waschbecken, die niemals von ihr sein können. Sie sieht die Asche auf dem Teppich, er die Marmeladenspur an der Butter. Wenn er doch mal sein Bett selbst machen würde! Und wenn sie endlich mal lernen könnte, ihre Kleider wegzuräumen! So etwas verbindet natürlich. Und nicht nur das. Zunächst ist man in der Hoffnung innig vereint, der andere werde sich noch ändern. Und wenn sich nach Jahren herausstellt, daß diese Hoffnung getrogen hat, dann verbindet die Eheleute etwas anderes, nämlich die Überzeugung, daß es für ein ganz neues Glück leider schon zu spät ist.

Die Ehe ist der Versuch, sagt man, die Probleme gemeinsam zu lösen, die Alleinstehende gar nicht haben. Wer führt denn immer diese langen Ferngespräche, die kein Mensch bezahlen kann? Ja, wer duscht denn eine halbe Stunde lang kochend heiß, bis die Gasuhr durchdreht? »Du findest morgens überhaupt nicht aus dem Bett!« – »Und du gähnst schon abends um neun Uhr wie Opa mit neunzig!«

Während wir uns diese Szenen vergegenwärtigen, müssen wir unwillkürlich die Symmetrie des Bildes bewundern. In gut eingespielten Ehen findet sich eben auf jeden Vorwurf eine angemessene Entgegnung, wodurch sich die Vollkommenheit der Konstruktion ergibt. »Sie wirft ihm das Trinken vor – und er ihr das Essen nach.«

»Immer bist du unpünktlich«, sagt er. Und sie entgegnet: »Bei dir weiß man nie, ob du überhaupt noch kommst.« Solche Dialoge sind nicht nur wegen ihrer Ausgeglichenheit von hohem Reiz, sie sind auch von großer therapeutischer Wirkung. Es ist derart lustvoll, in der Erregung ein »immer mußt du...« oder »nie kannst du...« hervorzustoßen, daß ich doch sehr raten muß, auf diese Form der Aggressionsabfuhr nicht zu verzichten. Es sind genau diese scheinbar unwichtigen Ausdrücke, die uns im Alltag die erwünschte Erleichterung verschaffen. Unfaßbar, wieviel die Singles still in sich hineinfressen müssen.

Auch sonst ist Ehe himmlisch. Wenn der eine müde und muffig ist, könnte der andere Bäume ausreißen, so ergänzt man sich aufs prächtigste. Er sitzt ungekämmt im Morgenmantel am Frühstückstisch und liest die Zeitung, sie lackiert sich derweil die Nägel und spricht von Verdauungsproblemen, denn man ist eben ganz vertraut miteinander und hat nichts mehr zu verbergen. Man kann sich halt gehenlassen, nur den anderen nicht. Eine innige Gemeinschaft, weil man alles gemein hat – und findet. Ärger? Ärger kann es nicht kommen.

Genau diesen Ärger sollte man jedoch nicht abzuschaffen suchen, denn in Wahrheit hält nichts eine gute Ehe so sehr zusammen wie diese Kleinigkeiten. Sie allein nämlich täuschen uns wohltätig hinweg über ein Nebenproblem: die Unvereinbarkeit der Charaktere.

April, April!

Der Fachmann für deutsches Brauchtum wußte es ganz genau: »Am ersten April schickt man die Leute in den April, weil an diesem Tag Jesus von Pontius zu Pilatus geschickt wurde.« Das könne gar nicht sein, meinte der nächste Fachmann, den ich befragte, der Brauch gehe auf die Arche Noah zurück, denn Noah habe an einem ersten April die Taube ausgeschickt, und die habe sich gefoppt gefühlt, weil sie kein Land habe finden können.

»Keineswegs«, rief der nächste Kenner der Volkskunde, »der bekannte Verräter Judas soll an einem ersten April geboren worden sein, und daher muß man an diesem Tage vor Schaden auf der Hut sein, das sagt die alte deutsche Volksweisheit.«

Herrgott, gibt es denn keine weltliche Erklärung für diesen Brauch? Doch, die gibt es, man muß sich nur an einen weiteren Fachmann wenden. »Der wahre Ursprung der Sitte liegt natürlich im trügerischen Aprilwetter, das einen ständig zum Narren hält«, stellte dieser Gelehrte fest. Ich war sofort überzeugt.

»I bewahre!« begrüßte mich die nächste Spezialistin, eine Völkerkundlerin, »das kann überhaupt nicht stimmen, denn schließlich kennt man den ersten April mit seinem Schabernack auch in südlichen Ländern, die an diesem Tag nur gutes Wetter gewohnt sind. In Wirklichkeit geht der Spaß auf das indische Huli-Fest zurück!« Da hatte ich es.

Allmählich dämmerte mir, wie sehr die Fachleute für den ersten April sich doch dem Gegenstand ihrer Forschung angeglichen haben. Mit anderen Worten, ich fühlte mich in den April geschickt. Kaum hatte ich den nächsten Privatdozenten an der Strippe, schickte er mich schon wieder in eine andere Richtung: »Dieses bekannte Narrenfest ist eindeutig auf die Quirinalien der alten Römer zurückzuführen, auf ein Fest also, an dem ausnahmsweise einmal die Sklaven von ihren Herren bedient werden mußten.« Das leuchtete mir ein. Aber nur für kurze Zeit.

Denn mein nächster Gesprächspartner wollte diese Theorie nicht auf der Wissenschaft sitzen lassen. »Im Jahre 1530 war durch den Reichstag zu Augsburg für den 1. April eine neue Münzordnung vorgesehen. Der Münztag aber fand nicht statt, alle Bankiers hatten sich verspekuliert und wurden ausgelacht. Und seitdem...«

Da brach ich meine Umfrage ab und fühlte mich von den Herren und der Dame wirklich in den April geschickt. Wenn ich mich aufgerafft hätte, auch noch englische, französische oder amerikanische Wissenschaftler zu hören, ich wäre gewiß inzwischen noch dümmer. So ist Wissenschaft. Mit Sicherheit habe ich nur zwei Dinge herausbekommen:

Es ist in Deutschland früher üblich gewesen, Kinder an diesem Tag mit unmöglichen Aufträgen loszuschicken, meist zum Krämer oder in die Apotheke. Sie sollten Mückenfett besorgen oder Stecknadelsamen, für einen Kreuzer Puckelblau und rosagrüne Tinte. Auch gesponnener Sand, gehackte Flohbeine, gedörrter Schnee und Sonnenbohrer kamen vor. Ach, die niedlichen Kinder!

Und das andere, was ich gewonnen habe, ist die Einsicht, daß alles auch böse enden kann. Im Jahre 1891 haben sich in Ungarn zwei Frauen, eine Mutter und ihre Tochter, am 1. April das Leben genommen. Man hatte ihnen soeben telegraphiert, der in Budapest beim Heer dienende Sohn und Bruder sei vor ein Kriegsgericht gestellt worden. Wegen seiner schiefgelaufenen Absätze.

Auftritt bei Millionen-Müller

Die großen Partys bei Müller, genannt Millionen-Müller, waren als spießig und langweilig verschrien, so teuer gemacht und gut besucht sie auch waren. Nie stürzte jemand in den Swimmingpool, auch gab es keine Auftritte, Affären und Amouren.

Diesmal war das anders. Ein stattlicher rotblonder Mann, den meisten Gästen unbekannt, Konsul Sievers aus Düsseldorf, führte das große Wort. Mal machte er einer Dame den Hof, mal beklagte er den Abriß des Kriegsverbrechergefäng-

nisses in Spandau und widmete Rudolf Heß ein paar anerkennende Worte. Sievers war ein Draufgänger. Er konnte sich rühmen, einen riesigen Backstein aus dem Spandauer Gefängnis zu besitzen, genau den mittleren Stein aus der Fensterbrüstung, auf die sich Heß so häufig gestützt hatte.
Die Partygäste waren geteilter Meinung. Bewundernd hingen einige an seinem Mund, während sich andere peinlich berührt zeigten. Als er, einmal in Stimmung, breitbeinig auf der Terrasse stehend, auch noch das Thema »Nachmanns Millionen« anschnitt, trat die Gastgeberin, die blutjunge, neue Frau Müller, beherzt auf ihn zu und bat ihn um Zurückhaltung. Er lasse sich seine Ansichten nicht vorschreiben, sagte er hochmütig. Und als Frau Müller ihn anzischte, um ihn an die guten Sitten und daran zu erinnern, wo er gerade zu Gast war, da sagte er doch tatsächlich, er könne ihr einen Schönheitschirurgen empfehlen, der nehme auch noch hoffnungslose Fälle an. »Wie Sie, Frau Müller!« setzte er überlaut hinzu.
In diesem Augenblick stand ihr Mann, der Gastgeber Herbert Müller, genannt Millionen-Müller, vor dem hünenhaften Sievers, packte ihn kurzerhand an der weißen Hemdbrust, drehte die Faust, daß die Knöpfe krachten, und brüllte: »Halten Sie das Maul, oder Sie lernen einen Kavalier kennen!« Sofort versammelten sich alle Gäste auf der Terrasse. Atemlos verfolgten sie einen Faustkampf, hart wie in einem amerikanischen Action-Film.
Die Damen zitterten fasziniert, die Herren sahen wie gelähmt zu, keiner kam dem Gastgeber zu Hilfe. Unglaublich, wie tapfer dieser deutsche Unternehmer zuschlug. Der Unterkiefer seines Gastes krachte, ja, es floß bald Blut aus seinem Mund. Sosehr sich der riesige Sievers auch wegduckte, der Hausherr traf ihn, stellte sich mit brennendem Mut einem Kampf, bei dem er eigentlich keine Chance haben konnte. Am Ende aber stürzte Konsul Sievers rücklings in den Swimmingpool und ging sofort unter. Wieder war es der Hausherr, der handeln mußte. Er sprang ins Wasser und zog den Hilflosen hinaus. Staunende Blicke hingen am Sieger, als er den taumelnden Rüpel durch die Gasse der Gäste hinter sich herzog. Seine Frau küßte ihn zärtlich auf die Stirn. An der Terrassentür drehte er sich um und sagte laut und kräf-

tig, fast schon lachend zu seinen Gästen: »Ich bringe diesen Herrn, der sich des Gastrechts unwürdig erwiesen hat, jetzt zu seinem Wagen.« Keiner der noch immer verschreckten Gäste traute sich, den Helden und sein Opfer zu begleiten.

Draußen auf der Straße raunte der Gastgeber dem falschen Konsul zu: »Einmal haben Sie mich an der Schulter echt erwischt. Egal. Hauptsache, es war für die Gäste überzeugend, und meine Frau blickt jetzt wieder zu mir auf. Ich erhöhe freiwillig auf dreitausend. Ihren Scheck bekommen Sie morgen.«

Therapie für Titelsüchtige

Man wird mit einer Versuchung nur fertig, indem man ihr erliegt. Diese tiefe Einsicht Oscar Wildes bewahrheitet sich unter anderem, wenn wir den sogenannten akademischen Betrieb samt Laufbahn betrachten und dabei die vielen Vollakademiker ins Auge fassen, die der Versuchung nach einem Titel nicht widerstehen konnten. Sie erliegen ihr, obwohl doch bekannt sein dürfte, wie sehr man sich für einen echten Doktor krummlegen und wie man sich gar für einen Professorentitel noch tiefer bücken muß.

Die karrierefrohe Jung-Chemikerin braucht den Titel ebenso dringend wie der weggeschlaffte Alt-Zahnarzt, der immer noch nach Costa Rica fahren muß, um sich nach dem Stoff zu erkundigen, aus dem seine akademischen Träume sind.

Für andere Drogenkranke hat man sich etwas einfallen lassen, Methadon soll ausgegeben werden, es hat auch nicht an dem Vorschlag Trude Unruhs von den Grauen Panthern gefehlt, Heroin für Bedürftige auf Rezept zu spendieren. Für diese Leute wird etwas getan. Was aber, wenn in uns statt der Heroinsucht die nach einem schönen Titel übermächtig wird? Da steht der Abhängige allein da.

Betrachten wir doch diese grassierende Titelsucht einmal so nüchtern, wie es die Süchtigen selbst nicht können, und stellen wir fest: Es fehlt an Ersatzdrogen. Nicht einmal Methadon hilft! Selbst die kostenlose Abgabe von Drogenbesteck wäre in diesem Fall verfehlt. Daher kommen wir nicht um die Forderung herum: Legalisiert den Stoff, aus dem die Titel sind!

Ich plädiere dafür, den Doktortitel auf Krankenschein zu verabreichen, um allen Entzugserscheinungen vorzubeugen. Nach dem eingängigen Motto »Den Doktor gibt's beim Doktor« wäre das leicht zu verwirklichen. Diese Regelung hätte zudem den Vorteil, daß sich zunächst mal so mancher sogenannte »Doktor« den Doktor selbst verschreiben könnte, der auf seinem Praxisschild, vom Rezeptblock ganz zu schweigen, immer noch so schmerzlich vermißt wird.

Gäbe es den Doktortitel künftig auf Rezept – was unseren Sozialstaat vervollkommnen und die Chancengleichheit ein Stück vorantreiben würde –, so wäre auch die erhebliche Dunkelziffer der akademischen Kleinkriminalität bei der Anfertigung von Titelstoff, sogenannten »Doktorarbeiten«, beseitigt. Wie wird da doch bisher abgeschrieben und mit brennendem Ehrgeiz gemogelt. Darum mein Appell: Entkriminalisiert die Doktor-Szene!

Die »akademische Mafia« hält bekanntlich den Stoff künstlich knapp. Sie gliedert sich wie jede ordentliche Mafia in Familien, an deren Spitze in diesem Fall als Pate der sogenannte »Doktorvater« steht, der die Seinen zu unbezahlter Arbeit anhält, zur Doktorarbeit. Auch den Dealern, die zu überhöhten Preisen unreinen Stoff aus dem Ausland anbieten, würde zugleich das Handwerk gelegt.

Jeder junge Mensch von gesundem Ehrgeiz, der glaubhaft machen kann, daß er wirklich titelsüchtig ist – und statt der Einstiche wenigstens Gewissensbisse vorzuweisen hat –, bekäme ganz korrekt den Wisch, der ihn kuriert. Allen wäre geholfen. Wie großartig das funktioniert, kann man in Österreich beobachten, wo man zwar den Adel abgeschafft, dafür aber ein ganzes Volk in den akademischen Titelstand versetzt hat. Jedem seinen Doktor auf Krankenschein!

Den Professorentitel aber bitte nur in ganz schweren Fällen. Wie in meinem.

2
Auf Herz und Nieren

Überzeugungsarbeit

Es ist so schwer, sich in einer Diskussion durchzusetzen. Wenn auch Sie da an sich selbst verzweifeln, sollten Sie wirklich mal in unseren Rhetorikkurs mitkommen. Der Trainer macht das ganz locker.

Zufällig sehen wir uns heute eine Videoaufzeichnung von der Diskussion an, die wir in unserem Kurs vor zwei Wochen hatten. Der da rechts bin ich, Sie werden gleich sehen, wie gut ich war! Die Aufzeichnung zeigt, wie ich ordentlich rangehe. Der Trainer unterbricht aber leider die Vorführung. »Herr Hirsch«, sagt er, »bitte lassen Sie in Zukunft Ihren Zeigefinger unten, bedrängen Sie Ihren Partner nicht.« Na gut, sage ich mir, der Trainer hat eben immer was auszusetzen.

Band läuft wieder. Und gerade sieht man, wie ich einen vollen Treffer lande. Ich sagte: »Ihre Motive sind ja bekannt, es geht Ihnen doch wohl kaum ums Allgemeinwohl.« Doch der Trainer läßt wieder stoppen. »Herr Hirsch«, sagt er sanft, »denken Sie bitte auch an unsere Regel Nummer drei, sie lautet: keine Unterstellungen und Verdächtigungen! Sie verlieren sonst bei den Zuschauern Sympathiepunkte.«

Die Diskussion läuft weiter, sie wird bald allzu matt, da sieht man mich mit feinem Spott sagen: »Wissen Sie eigentlich, daß Sie vor kurzem noch das Gegenteil behauptet haben? Nun wollen Sie sich wohl auf meine Position schleichen!« Der Trainer läßt uns wissen, ich hätte damit gegen Regel fünf und sieben verstoßen. Regel fünf besage, der Partner dürfe nie daran gehindert werden, seine Ansicht zu korrigieren. Regel sieben verbiete jede Ironie.

Ach ja, ich dachte immer, so ein Kurs in Argumentation sei dazu da, die Teilnehmer aufzurüsten, aber ich lerne, er soll uns zu der Einsicht bringen, unsere unsympathischsten Waffen besser im Arsenal zu lassen.

Als das Videoband wieder läuft, ist zu sehen, wie mein Partner mich freundlich schweigend ansieht und reden läßt. Geht das denn? Der Kursleiter unterbricht. Ich meine, das muß er auch. »Herr Hanke«, sagt er, und ich finde, er wendet sich zu Recht diesmal an meinen Partner, »Herr Hanke, großartig, wie brillant Sie unsere Regel Nummer zwei befolgen, indem Sie gelassen bleiben, wenn Sie angegriffen worden sind. Man spürt, daß Sie es gar nicht nötig haben, Ihre Überlegenheit offen zu zeigen oder gar Ihr Gegenüber zu belehren.«

Ich sehe mir Herrn Hanke an, nicht mal dieses Lob des Trainers kann ihn aus der Ruhe bringen. Nie hört man ihn in Diskussionen sagen, der andere habe unrecht; immer betont er die Gemeinsamkeiten; und selbst wenn er argumentiert, ist er die souveräne Milde in Person. Wenn unser Kurs gleich abstimmt über die Videodebatte, wird Hanke zwanzig Punkte kriegen und ich zwei. Mir dämmert wieder, was der Trainer immer gesagt hat: Die Zuschauer überzeugt man durch Sympathie; die meisten Diskussionsteilnehmer vergessen leider, daß sie die anderen gewinnen, aber nicht verletzen wollten.

Für mich hatte unser Trainer zum Schluß aber auch noch ein Lob. »Herr Hirsch«, sagte er in seiner überlegenen Art, »das Fundament der Rhetorik ist Ihnen ja durchaus gegeben, nämlich die Gabe, Regel Nummer eins zu erfüllen.« Ich nickte dankbar. Und gestehe meinen Leserinnen und Lesern, wie diese Regel heißt: »Versuche immer zu erreichen, daß dich die Zuschauer wenigstens für ehrlich halten.«

In aller Bescheidenheit

Lauter Malerinnen und Maler sitzen in einem Raum beisammen – ich bin nur als Journalist dabei – und wollen Erfahrungen austauschen. Niemand wagt anzufangen, da ergreift die Seniorin, eine weißhaarige Künstlerin, das Wort. Sie wolle sich zurückhalten, sagt sie, denn sie sei ja schon alt, ihr habe man auch schon ein eigenes Museum eingerichtet, in ihrem Heimatort sei eine Straße nach ihr benannt...

Wirklich, ich frage mich schon lange, warum einige meiner Mitmenschen, die gern etwas über sich ausplaudern möchten, glauben, niemand höre die dringende Absicht hinter ihrer schönen Beiläufigkeit heraus. Einmal komme ich mit einem Pianisten ins Gespräch, einst war er ein berühmter Klavierbegleiter, noch immer ist er ein gesuchter Mann. Ganz nebenbei erwähnt er in unserem Gespräch, worüber er vor kurzem mit »Lenz« gesprochen habe, wobei er offenbar erwartet, daß ich darauf zurückkomme. »Mit welchem Lenz, mit meinem Kollegen?« frage ich. Aber nein!

Er hat natürlich mit Siegfried Lenz gesprochen, den er übrigens seit langem gut kenne, wie er nun gern ausplaudert. Den Namen hatte er – ganz zufällig natürlich – fallenlassen, daß ich es nur so scheppern hörte und mich bücken mußte, um ihn aufzuheben. Ja, und wieviel größer wirkt mein Pianist nun von hier unten, als Dichterfreund.

Man muß nur wissen, was man unbedingt über sich selbst ausstreuen will. Ein erfolgreicher Journalist, seit vierzig Jahren in allen Medien im Geschäft, erwähnt in einem Brief an mich, er könne die heutige Umweltpolitik nicht mehr begreifen, »trotz eines erfolgreich abgeschlossenen Jurastudiums«. Das wollte er offenbar mal bemerkt haben – und ich gestehe freimütig, ich wußte es bis dahin nicht –, daß er auch noch ein echter Vollakademiker ist. Kam ganz zufällig heraus – denkt er jedenfalls. Ob ich ihn nun neu einschätzen muß?

Wie stellt man sich aus? Ein Vorhaben, das offenbar viel Takt und Tarnung verlangt, wenn niemand was merken soll. Zwei amerikanische Psychologen, Edward Jones und Kenneth Gergen, haben sich dazu ein Experiment ausgedacht. Sie baten Testpersonen herein und forderten sie auf, sich spontan einem Fremden gegenüber – der war auch anwesend – vorteilhaft darzustellen. Ein großer Teil der Versuchskaninchen zog es vor, sofort mit allem herauszurücken, was für sie sprechen könnte. Besonders beliebt war es, Namen von bekannten Leuten fallenzulassen, die zu kennen man sich rühmen konnte. Andere Testpersonen machten es doch wenigstens so auffällig-unauffällig wie meine drei Gewährsleute.

Andere lösten die Aufgabe dadurch, daß sie eine einfach

entwaffnende Bescheidenheit an den Tag legten. Understatement, um auf sich aufmerksam zu machen. Ist doch schon besser.

Ich möchte an dieser Stelle einen Prominenten erwähnen, nämlich den Publizisten Johannes Groß. Nein, nicht um zu behaupten (keine Angst), ihn persönlich zu kennen. Als dieser hochintelligente Erfolgsmensch einen bekannten Fragebogen ausfüllte, sollte er unter anderem die Frage beantworten, welche natürliche Gabe er besitzen möchte. Er schrieb hin: Selbstbewußtsein.

Charmant und bescheiden – und ein gelungenes Paradox. Denn wer sich öffentlich zu einem Mangel an Selbstbewußtsein bekennt, muß eine Menge davon haben.

Anstelle ihres Herrn

Ist das nicht Herr Schulz? denke ich, und tatsächlich, wer da von weitem durch den Park auf mich zukommt, ist dieser trockene Verwaltungsangestellte mit dem altdeutschen Gesicht und der ewig gequälten Freundlichkeit, kurzum, eben Herr Schulz. Um ihn streicht ein deutscher Schäferhund. Gerade will ich grüßen, da fährt das Tier zu mir herum, springt bellend hoch und will zuschnappen. Herrchen Schulz bleibt die Gelassenheit selbst. »Der tut Ihnen nichts«, sagt er und streichelt seinem gewaltigen Tier den Kopf, wodurch sich der Hund etwas beruhigen läßt. Während mir noch die Knie zittern, macht das sanfte Männchen höflich mit mir Konversation.

Später fällt mir auf meinem weiteren Weg durch den Park ein, was mir der immer stille Herr Schulz mal erzählt hat. Es war in seinem Büro – er ist für den Einkauf zuständig –, an der Wand hing ein Fahndungsplakat mit den Köpfen der gesuchten Terroristen. Ich fragte Herrn Schulz, warum er das Plakat hier hängen habe. »Ich könnte sie mit den eigenen Händen erwürgen«, sagte er auf seine leise Art, »auch wenn es meine eigenen Kinder wären.« Jetzt begreife ich auch, warum Herr Schulz einen solchen Hund hat. Der soll die Aggressionen ausleben, die zu äußern sich Herr Schulz nicht traut. Der Hund als Stellvertreter, als Bauchrednerpuppe seines Herrn.

Die Geschichte fiel mir wieder ein, als ich eine sehr feine Dame zum Interview in ihrem Haus besuchte. Sie ist Besitzerin eines gewiß außerordentlich kostbaren Pudels. An der Haustür knurrte das zierliche Tier und zeigte die spitzen Zähnchen, als freute es sich schon auf mein Wadenfleisch.

Während ich, auf der Couch sitzend, das Mikrofon hielt, sah mich das Tier mit seinen klugen Augen an. Die Zunge eines Pudels liegt so appetitlich in seinem Mäulchen wie eine Scheibe Wurst auf dem Butterbrot. Und wenn ein Pudel wirklich mal das Bein hebt, hat man den Eindruck, er verträufele reines Tafelwasser. Ja, eigentlich erwartet man, es müsse sich um Parfüm handeln. Natürlich hebt eine Pudeldame nie das Bein und macht auch sonst niemanden naß.

Obwohl meine Gedanken offenbar abschweiften, verlief das Interview auf das angenehmste. Meine Gastgeberin gab bereitwillig Auskunft; ja, so etwas wie Sympathie schlich sich zwischen die offiziellen Worte. Die Ablenkung aber hörte nicht auf, denn bald begann das possierliche Tier mir die Hand zu lecken. Ich fand den Stimmungsumschwung etwas übertrieben. Erst an der Haustür die Reißzähnchen, nun soviel Speichel, dachte ich und suchte nach einem Papiertaschentuch. Da sah mich die Herrin dieses Pudelweibchens ganz innig an und sagte: »Pamela mag Sie offenbar sehr gern, sonst tut sie so etwas nämlich bei Fremden nie!«

Und während Pamela weiter mit mir koste, dachte ich wieder daran, daß Hunde offenbar wie die Handpuppe der Bauchredner ganz die Stimme ihres Herrn oder ihrer Herrin wiedergeben. Sie werden unbewußt darauf dressiert, die verschwiegenen Regungen auszudrücken, die zu zeigen sich die Menschen nicht trauen.

Das ist nur meine private Theorie, die ich jedoch gelegentlich vorzubringen pflege. Zustimmung habe ich aber, das sei hier nachgetragen, bei Hundebesitzern noch nicht gefunden. Na ja, Hauptsache ihre Hunde wissen, wie die Sache läuft.

Trinkgeld

An meinem Schreibtisch im Funkhaus öffnete ich einen Brief. Ein Zwanzigmarkschein fiel heraus, bevor auch der Brief zum Vorschein kam; ein Brief, feinstes Bütten mit Leinenstruktur, drauf ein Name in altenglischer Schreibschrift, gute Hamburger Adresse. Der feine Herr erbat ein Manuskript von mir. Dann kam er auf die Beilage zu sprechen: »Bitte verstehen Sie den kleinen beigefügten Unkostenbeitrag von zwanzig Mark nicht falsch, sondern nehmen Sie ihn eventuell – nach dem Motto ›Trinkgelder: ja oder nein, oder welche Höhe wirkt beleidigend?‹ – als Anlaß zu einer neuen Glosse.«

Der Mann war gut und die Versuchung da. Ich verrate noch nicht, wie ich ihr erlegen bin. Nur soviel: Mein erster Gedanke war, daß ich in meinem beamtenähnlichen Status ja leider nichts annehmen darf. Aber da lag der gelbgrüne Schein. Zyniker pflegen zu sagen, daß jeder Mensch seinen Preis habe. Und genauso hatte es der vornehme Hamburger Hörer wohl auch gemeint, als er die Frage stellte, welche Höhe beleidigend wirke.

Je niedriger ein Trinkgeld, desto kränkender ist es. Mein liebenswürdiger Versucher wollte wohl nur wissen, ob bei mir schon zwanzig Mark ausreichen, um die Schwelle von der Kränkung zur wohltuenden Anerkennung zu überschreiten. Herr Hirsch, wo liegt die Grenze, an der Sie bereit sind, alle Scham zu vergessen und die Hand aufzuhalten? Das ist die Frage, aber ich verrate nichts.

Beamte nehmen nichts – oder heimlich und dann unheimlich viel. Der Ärztestand ist Geschenke hingegen seit Jahrtausenden gewohnt; sie werden, gleichsam als Erfolgshonorar, mit auffallender Selbstverständlichkeit entgegengenommen. Es hat allerdings keinen Zweck, etwa der Hausärztin auch mal einen Schein zuzustecken. Wer jedoch einem Pfarrer nach gelungener Trauung einen Batzen Bares in die Gratulationshand drückt, muß nicht fürchten, zurückgewiesen zu werden. Der Geistliche wird das Geld mit Freude nehmen und so geistesgegenwärtig wie genau erklären, wo es hinkomme, in die Kollekte nämlich.

Die Stewardeß hoch in den Lüften gibt dem Unerfahrenen

das Wechselgeld, das er ihr gerade zuschieben wollte, mit schnippendem Finger zurück. So etwas tut ein Gast nicht. An Bord eines Schiffes wiederum erwartet der Steward eisern seine zehn Prozent, sonst ist nicht sicher, wie heil Sie das Schiff am Ende verlassen können.

Taxifahrer, diese Meister der Menschenbehandlung, haben wenigstens vier Standardformen, mit denen sie den Gast verabschieden können. War kein Trinkgeld dabei, so hört dieser knausrige Kunde, während er aus der Kabine krabbelt, nicht mal eine Erwiderung auf seinen Gruß. Für dreißig Pfennig extra gibt es ein brummiges »Ja«. Von fünfzig Pfennig an kann man mit einem »Danke« rechnen. Und für mehr als zwei Mark kommt der Mann sogar ums Auto gelaufen, um dem Gast beim Aussteigen zu helfen.

Und was mache ich mit den zwanzig? Erst wollte ich den Tag, an dem die Versuchung kam, kurzerhand zum Tag der offenen Hand erklären. Ging aber nicht. Dann versuchte ich es mit anderer Begründung und sagte mir: Schicke ich das Geld zurück, so stehe ich doch da wie die beleidigte Leberwurst! Und darum, so beschloß ich, werde ich dem sehr geehrten Hörer, schon um ihn nicht zu kränken, mit Dank schreiben, sein Schein liege bereits in der Kasse der Redaktion. Tut er auch.

Aber ich frage mich doch: Mußte ich mich so zieren?

Man hat ihn

Ich möchte, wenn Sie erlauben, einmal versuchen, Sie zu beleidigen. Nicht einfach auf gut Glück, sondern unter bestimmten Bedingungen und im Sinne eines Tests. Ich fange mal so an: »Sie sind unmusikalisch!« Das trifft Sie wohl noch nicht so sehr. Also versuche ich es mal mit Zweifeln an Ihrem Charakter: »Ihnen fehlt die Großzügigkeit!« Auch das läßt Sie wahrscheinlich noch kalt. Manche Zeitgenossen räumen sogar recht genüßlich ein, daß sie geizig sind, jedenfalls aber sparsam.

Wenn ich nun noch etwas weitergehe und an Ihrer Ehrlichkeit zweifele, dann komme ich der Schmerzgrenze wohl schon ziemlich nahe. Allerdings gibt es Mitmenschen, die durchaus bereit sind zuzugeben, daß sie nicht immer ehrlich sind. Auch an Ihrer Intelligenz könnte ich jetzt probehalber zweifeln. Aber dann würden Sie mir wahrscheinlich schnell beipflichten, um selbstsicher hinzuzufügen, es sei doch eher ein Zeichen von Intelligenz, wenn man sich selbst für nicht sehr intelligent halte.

Also hole ich jetzt zum großen Schlag aus und behaupte, Sie hätten keinen Humor. Sehen Sie, das kränkt Sie wirklich. Stimmt's? Sogar so sehr, daß Sie's nicht mal zugeben mögen. Genau das sollte auch bei meinem Experiment herauskommen. Humor ist eine Eigenschaft, auf deren Besitz alle Menschen Wert legen. Humor hat man. Man hat geradezu Anspruch darauf, diese eigene Begabung auch durch andere bestätigt zu bekommen.

Um so peinlicher ist es mir, meine lieben Leserinnen und Leser, aussprechen zu müssen: Sie können nicht alle Humor haben! Es muß selbst unter den Menschen, die dieses Buch lesen, welche geben, die keinen haben. Nur – wer? Vielleicht gehören gerade Sie dazu? Nein, so kann man nicht fragen. Die Humorlosen, das sind immer die anderen.

Der Dichter Ludwig Börne hat gesagt: »Humor ist immer souverän.« Genauso unwiderstehlich würden wir uns alle gern sehen, während wir auf Schönheit und Klugheit zur Not verzichten könnten, denn das sind Zugaben. Humor aber ist Kern, ist Charakter. Wer ihn nicht hat, steht als gereizt, kleinlich und fanatisch da. So will man wirklich nicht sein.

Deshalb reagieren Menschen, denen man den Humor abspricht, meist ziemlich humorlos. (Unfreiwillig tun sie das, denn sie wissen, wie sehr sie sich damit in einen inneren Widerspruch begeben.) Die Angst davor, keinen Humor zu haben, ist deshalb so groß, weil jeder weiß, daß nur der Humor uns hilft, dem Schicksal zu widerstehen. »Meinen Humor«, sagt die Schwerkranke, »lass' ich mir nicht nehmen!«

Und wenn nun jemand wirklich keinen Humor hat? Dann braucht er, um mit diesem Mißstand fertigzuwerden, offenbar wirklich viel Humor. Das ist leider wieder ein Paradox, aber doch insofern richtig, als der Humor da unentbehrlich wird, wo es gilt, den eigenen Unzulänglichkeiten ins Auge zu blicken. Nichts als der Humor – allenfalls noch die Religion – tröstet uns über diesen größten Schmerz hinweg, nämlich über den Anblick der eigenen Fehler, die wir nicht ändern können.

Und deswegen bestehen alle Menschen darauf, Humor zu haben. Die einen haben ihn wirklich, und diejenigen, die ihn nicht haben, fühlen schmerzlich ihren Mangel und sind aus genau diesem Grunde darauf angewiesen, sich den Humor wenigstens zuzuschreiben.

Wie man sich bettet...

Wollen Sie mir nicht mal erzählen, wie Sie schlafen, ich meine, in welcher Haltung? Aha, Sie zögern. Ja gewiß, Sie haben auch viel Grund, mir zu verschweigen, wie Sie in Ihrem Bett zu liegen pflegen, denn bekanntlich läßt für einen Psychologen alles tief blicken. Ich bin zwar keiner, blicke aber dennoch gern tief.

Lassen Sie mich mal raten. Ich wette, Sie schlafen mit dem Gesicht nach unten, die Arme um das Kissen geschlungen und im übrigen ausgestreckt auf dem Bauch liegend. Eine ungewöhnliche Schlafhaltung, das haben Sie sich gewiß auch schon gedacht. Ich weiß noch genau, wie ich zum erstenmal einen Menschen so schlafen sah, es war in einem Jugend-Camp, mein Nachbar auf dem Matratzenlager lag wirklich auf dem Gesicht, und ich dachte zuerst, ihn blende nur die Deckenlampe. Es stellte sich aber heraus, daß er überhaupt nicht anders schlafen konnte! Mein Verdacht, er scheue das Licht und suche sich in seinem Kissenberg zu verstecken, ist bis heute ungebrochen. Sich verkriechen aus Lebensangst! Ich wünsche allen Ertappten, daß sie ihr Verhalten ganz anders begründen können.

Aber vielleicht gehören Sie im Gegenteil zu den Rückenliegern, also zu diesen aufgebahrten Schläfern Marke Sarkophag oder Fürstengruft, die ihr Haupt, auf schweren Kissen ruhend, so gebettet haben, daß sie, kaum erregt ein Geräusch ihren Verdacht, beim Erwachen sofort alles im Blick haben. Diese hoheitsvollen Typen geben sogar im Schlaf regelmäßig ihre Position durch, jeder Atemzug ein Machtanspruch. Großartige Menschen, solange niemand neben ihnen liegen muß. Ich gratuliere, mache mich aber auch gleich aus dem Staub. Besser gesagt, aus dem Lärm.

Bislang haben vielleicht gerade Sie wohl gedacht, Sie kämen in unserem kleinen Test nicht vor, weil Sie doch ganz normal auf der Seite liegen und in aller Ruhe an der Matratze horchen. Aber einem rechten Psychologen gilt nichts als normal. So sollte es Sie nicht wundern, wenn auch Menschen wie Sie längst durchschaut sind. Da flüstert der Fachmann nur »Embryohaltung«, und alle wissen über Sie Bescheid: Knie angezogen, Kopf leicht auf die Brust geneigt, Hände in der Nähe des Mundes – und das ganze Bett ein einziger Uterus. Schlafen Sie weiter.

Aber ich weiß schon, was Sie nun sagen wollen. Sie möchten mir erklären, wie Sie es wirklich machen. Sehr kompliziert. Ja, Sie liegen also nur halbwegs auf dem Rücken, ein wenig zur Seite geneigt, dabei haben Sie das linke Bein ein bißchen angewinkelt und den rechten Arm über sich gestreckt, als wollten Sie gerade das Licht anmachen. Und so wollen Sie schlafen? Bei dieser Mischhaltung laufen Sie außerdem Gefahr, alle möglichen Deutungen auf einmal auf sich zu ziehen. Aha, das ist nur Ihre Einschlafhaltung, sagen Sie. Danach wälzen Sie sich hin und her, wobei von Zeit zu Zeit Ihre Arme weit ausholende Bewegungen nach rechts und links machen. Gut, aber dann sollte es Sie nicht wundern, daß sich bisher alle Ihre Verlobungen aufgelöst haben. Stimmt's?

Also, wenn mich mal ein Psychologe – mit jener Harmlosigkeit, die bei diesen Burschen zum Beruf gehört – fragen würde, wie ich zu schlafen pflegte, so würde ich es vorziehen zu sagen: Ich weiß es nicht, denn nachts ist es immer so dunkel, und außerdem schlafe ich da.

Spiegelbilder

In unserem Schulungskurs ging es, glaube ich, darum, daß wir endlich mal unsere Persönlichkeit lockerten. Der Trainer hatte schon allerlei mit uns angestellt, damit wir mehr Einblick in unseren zweifelhaften Charakter bekämen. Bei so etwas baut sich Frust auf. Darum bot er uns nun Gelegenheit, auch mal ein bißchen Spannung abzulassen. Wir wurden aufgefordert, auf einem Blatt Papier die Eigenschaften zu notieren, die wir bei unseren Mitmenschen im Alltag am wenigsten ausstehen könnten.

Ich geb's ja zu, ich notierte das mit gewisser Lust. »Rücksichtslos sein«, schrieb ich, »sich Vorteile verschaffen«, »undurchdachter Radikalismus« und so weiter. Man schreibt sich das wohl gern mal von der Seele, was man bei anderen regelrecht ekelerregend findet. Als alle Kursteilnehmer fertig waren, eröffnete uns der Gruppentrainer, wir dürften das Blatt vertraulich für uns behalten, er rate uns auch dazu – denn was wir aufgeschrieben hätten, das seien zugleich unsere eigenen geheimsten Eigenschaften und Charakterfehler.

Allgemeines Grummeln. Keiner wollte sich so sehen, ich mich auch nicht. Und ich weigere mich bis heute. (Oder würden Sie mir diese Gemeinheiten zutrauen? Na, bitte!) Einer von uns war sogar so in Zorn geraten, daß er sich erbot, seine Liste den anderen vorzulesen, nur um sich bestätigen zu lassen, daß er so gerade nicht sei. Er las, obwohl vom Trainer gewarnt, vor: »Ehrgeizig, tricky, egoistisch, verschlossen...« Je weiter er las, desto betroffener das Schweigen bei denen, die ihn schon etwas länger aus seiner Firma kannten.

Nun ja, überzeugt bin ich immer noch nicht – was mich betrifft! Die Sache kam mir aber wieder in den Sinn, als ich in einer Kirchengemeinde an einer Diskussion teilnahm. Ein älterer Herr wünschte sich mehr Zustimmung in unserer Gesellschaft: »Heutzutage sieht man doch im anderen Menschen zuerst und vor allem das Negative, und das finde ich nicht gut!«

Er hatte das so eindringlich gesagt, daß man die harte Erfahrung spürte. Keiner konnte sie ihm ausreden. Aber ich versuchte ihn wenigstens auf ein winziges Detail aufmerksam zu machen. »Es gibt da einen kleinen Selbstwiderspruch«, sagte ich behutsam, »Sie bedauern, daß Ihre Mitmenschen heute vor allem das Negative im anderen sehen. Und ich frage mich, ob Sie mit dieser Beobachtung nicht selbst das tun, was Sie beklagen, nämlich in den anderen Menschen zunächst einmal das Negative zu sehen.«

Während ich noch versuchte, ihm dieses Paradox in seiner Äußerung aufzudecken – und zwar so, daß es ihn nicht kränken mußte –, fiel mir der Gruppentrainer wieder ein, der behauptet hatte, was man an den anderen nicht leiden könne, tue man heimlich selbst.

Zu meiner großen Erleichterung sah ich, wie dieser Weise zu schmunzeln begann. Ja, er nickte sogar vergnügt und signalisierte mir sein Einverständnis. Ich muß gestehen, daß mich das sehr erleichterte, weil mir in diesem Augenblick bewußt wurde, daß der Gute ja auch mit viel Grund hätte so auf mich reagieren können:

»Herr Hirsch, sehen Sie, mit Ihren Worten bestätigen Sie doch nur, was ich gesagt habe, daß alle Menschen – Sie auch! – zuerst das Negative sehen, selbst in meinen nun wirklich unschuldigen und ganz objektiven Erfahrungen.« Aber das hat dieser Philosoph eben nicht gesagt.

Outfit für Darsteller

Lederkrawatte ist »prolig« oder »prolo«, Strickkrawatte legt nur noch die Bundesliga um, wenn sie ins »Sportstudio« geht. Die Balltreter tragen dann auch das Adidas-Hemd zur Boss-Jacke, was einen lifestyle-bewußten Menschen lächeln läßt. Das Label muß stimmen, Leute.

An freien Tagen lebt unsere Familie auf dem Lande in einem alten Haus. Da trage ich einige Klamotten von früher auf, die vor zehn und mehr Jahren Mode waren, die hautengen Jeans und die knappen Jäckchen, die taillierten Hemden und den kurzgestutzten Mantel. In der Stadt aber wird man gesehen, dort will auch ich in die richtige Schublade einsortiert werden und etwas darstellen.

Da gibt es die bequemen Hosen, in deren Taschen man die Fäuste ballen kann; die Hemden, die so weit sind, daß sie über den Gürtel fallen und überhaupt nur aus Falten zu bestehen scheinen; die Jacken, die so over-sized sind, als stammten sie aus der Garderobe eines Meisters im Schwergewicht. Ich fühle mich in diesem neuen Stil wohl. Und das nicht nur, weil man sich darin freier bewegen kann. Oder weil es Mode ist.

In den hautengen Klamotten komme ich mir inzwischen wie nackt vor, meiner Umwelt preisgegeben. Sie nötigen mich, ein Individuum zu sein, erkennbar ich selbst. Die Ideale waren früher eben anders. Nehmen wir als Beispiel, daß wir damals etwa von uns verlangten, offen erkennbar und »gesellschaftlich engagiert« zu sein.

Von der Mode bin ich auf das veränderte Lebensgefühl gekommen. Beides hängt zusammen. Damals haben wir den Ausdruck der »Identität«, die wir suchten, auch in der betont engen Kleidung gefunden. Jeans, T-Shirt und Pullover waren außerdem so schlicht, wie es dem damals hochgehaltenen Wunsch nach Solidarität entsprach. Heute wirft sich unsereiner in die Falten einer viel zu weiten Jacke und genießt diese Verkleidung. Ja, ich ertrinke darin; kann mich darin verbergen, will das wohl auch; fühle mich damit ausstaffiert. Eine Mode wie zum Theaterspielen. Und genau das macht heute Spaß.

Offen gestanden, das gute Stück ist zudem aus Wolle mit Cashmere. Noch geniert man sich ja ein wenig für diesen Luxus, aber mit einem verlegenen Augenzwinkern wirft doch selbst einer wie ich schon mal einen Blick auf die neuen Vorbilder, diese Leitfiguren, die uns vormachen, wie man sich selbst verwöhnt. Wie man dem teuren Label treu ist.

»Selbstverwirklichung« war eines der alten Ideale, heute ist es eher die »Selbstdarstellung«, denn man will mitspielen. Was damals die Gruppe war, sind heute die Kreise. Wollte man einst zur Szene gehören, zum Schauplatz also, so wird diese Szene heute zum Auftritt, zum Schauspiel. Im gleichen Sinn hat sich die erstrebte neue Gesellschaft entpuppt als die alte feine. Na ja, in jedem Fall bleibt man dabei »gesellschaftlich engagiert«. Vom Schlachtruf »Ich bin doch ich!« zum »Ich bin dabei!« Wir autonomen Persönlichkeiten von damals spüren daher heute das Bedürfnis, endlich zu erfahren, wie man sich in Gesellschaft richtig verhält. Bloß nicht die falsche Jacke zum Adidas-Hemd; nur nicht das Messer nehmen, wo es die Gabel täte; und wie komplimentiert man einen Höhergestellten, bitte schön, durch die Tür? Man will's ja nur wissen. Benimmvorschriften sind groß im Kommen. Superauflagen. Muß man lesen.

Gerade Selbstdarsteller möchten wissen, was sie spielen sollen.

Wo denken Sie hin!

Man kann die Menschen in zwei Gruppen einteilen, ich jedenfalls tue das. Die einen beginnen ihre Antwort gern mit »Ja...«, die anderen mit »Nein...«. Aber ich verrate hier noch nicht, welcher Menschenschlag mir lieber ist. Nehmen wir ein Beispiel. Ich begegne auf der Straße einer jungen Mutter, die ich etwas kenne. Höchst interessiert und wohlinformiert sage ich, mich über die Karre beugend: »Ihr Sohn muß jetzt ein Jahr alt sein.« Und was höre ich: »Nein, der wird nächste Woche schon dreizehn Monate.«

Bei solch einem Nein zucke ich gewöhnlich etwas zusammen und wage nicht einmal, in aller Schüchternheit zu bemerken, meine Schätzung sei doch gar nicht mal so schlecht gewesen. Die junge Mutter blickt mich auch ganz freundlich an und hat es nicht bös gemeint, sie möchte wohl mit unserem Dichter Goethe stöhnen: »Man spricht vergebens viel, um zu versagen; der and're hört von allem nur das Nein.«

Das höre ich auch im Kreise der Familie, in dem sich, weiß Gott, verschiedene Temperamente finden. Man erzählt gerade von früher, ich sage: »Tante Gretel kam doch mit dem Flüchtlingstreck zuerst nach Bad Harzburg...« Doch der Onkel neben mir, sonst recht schweigsam, hat nun seinen Auftritt. Wie ein Rothirsch im Herbst röhrt er los: »Nein!

Zuerst kam sie nach Bevensen und blieb da mindestens drei Wochen!« Ich muß sagen, er kann das. Dies »Nein« macht ihm so leicht keiner nach, und das aus dem Stand, aufs Stichwort. Wie tief gekränkt ich war, merken Sie ja schon daran, daß ich an dieser Stelle noch davon berichten muß.

Ganz anders, wie gesagt, die Leute, die erst mal mit einem einnehmenden »Ja« beginnen. Mich zieht es zu diesen Menschen, auch wenn ich dadurch in den Verdacht gerate, am liebsten von lauter Jasagern umgeben zu sein. Bin ich auch. »Hatten wir nicht vor drei Wochen eine Sendung darüber?« erkundige ich mich bei meiner zartfühlenden Kollegin, und die sagt, indem sie mir erst mal zustimmt: »Ja, vor zwei Wochen.« Balsam, sage ich! Ja, sie ist Spitze. Man sollte das allerdings nicht übertreiben. Ich kenne einen Radiojournalisten, der, wenn seine Interviews geschnitten werden, vor allem damit beschäftigt ist, ein einziges Wörtchen herausschneiden zu lassen, mit dem er jede seiner Fragen einleitet, das Wörtchen »Ja...«. Dieser Journalist, den ich gut kenne – also, geben wir es doch zu, ich bin es selbst –, geht wirklich etwas weit, denn wozu erst einmal seine Entgegnung mit »Ja« beginnen, wo der Widerspruch unmittelbar folgt?

Eigentlich wollte ich ja (ja!) von den Neinsagern sprechen. Da gäbe es noch viel zu sagen, zumal diese Spezies sich auch erheblich steigern kann, etwa zu »Nein, darum geht es überhaupt nicht!« und »Wo denken Sie hin!?« oder »Glauben Sie im Ernst...?«

Nein (oder vielmehr: ja), wenden wir uns doch noch einmal der anderen Hälfte der Menschheit zu, indem ich Ihnen von dem kleinen Jungen berichte, den ich neulich nach seinem Namen gefragt habe. Es gibt wahre Herzensbildung eben schon mit vier Jahren. Ich fragte den liebenswerten Zwerg: »Bist du nicht der Oliver?« Und er sagte: »Ja, ich bin der Thomas.« Er muß geahnt haben, wie ich es gern habe. Oder geht soviel Höflichkeit doch zu weit? Mir noch nicht.

Herr Meyer küßt wieder

Im Sturmschritt eilte Herr Meyer die Stufen zu seiner Wohnung hinauf, ganz anders, als er es sonst nach Feierabend zu tun pflegte. Der Schlüssel drehte sich krachend im Schloß, die Tür flog auf, die Aktentasche in die Ecke des Flurs. Und dann stürzte er sich mit solchem Eifer auf seine Frau, daß die gar nicht wußte, womit sie das verdient hätte.

Er drückte seinen Mund auf den ihren. Beide schwankten. Um Luft ringend, brachte sie schließlich hervor: »Alois, ich habe wirklich nichts getrunken!« Er aber schnupperte weiter an ihr, verpaßte ihr Knallküßchen auf die Wangen und stammelte endlich: »Liebling, ich bin so unglaublich vital!«

»Was ist mit dir?« forschte seine Gattin, die ihn so wirklich nicht kannte. »Ich bin selbstsicher«, erklärte er entschieden, »ich strahle Kraft und Energie aus.« – »Gewiß doch«, stimmte sie ihm zu, »aber nun verrate mir auch, warum du auf einmal so stürmisch bist!«

»Ich habe heute gelesen, was Allensbach bei einer Umfrage herausgefunden hat. Wer über vierzig ist – hör gut zu – und seine Partnerin dennoch regelmäßig küßt, der bewegt sich auch, wenn er geht, locker und unverkrampft, er ist vital und lebensbejahend. Das haben die eindeutig festgestellt!« Kaum hatte er das vorgebracht, da nahm er seine Ingrid schon wieder derartig lebensbejahend in den Arm, daß sie seinen Griff weder locker noch unverkrampft zu finden in der Lage war.

Unter Keuchen konnte sie ihn sagen hören, die Interviewer von Allensbach hätten genau notiert, wie sie diejenigen unter den Befragten empfunden hätten, die regelmäßig ihre Frau küßten. Selbstsicher hätten diese Kuß-Könner gewirkt, nicht so langweilig und verantwortungsscheu wie die Kuß-Muffel.

»Und da soll es einen Zusammenhang geben?« erkundigte sich Frau Meyer ungläubig. »Genau den gibt es, meinen die Leute von Allensbach«, antwortete Herr Meyer, »wer viel küßt, bleibt jung, dynamisch und lebensbejahend. Das gilt übrigens auch für Frauen. Und du hättest mal lesen sollen, wie diejenigen beschrieben wurden, die von sich sagten, sie küßten wenig. Um Jahre vorgealterte Typen!«

Die Umfrage, von deren Folgen hier die Rede ist, gehörte zu jenen Schnellschüssen, die nur wenig kosten dürfen, viel Publizität bringen sollen und von Kennern – wegen methodischer Mängel – »quick and dirty« genannt werden. Genauso eilig und eklig küßte Herr Meyer.

Jetzt fing er schon wieder an. »Aber Alois«, wandte seine Frau schüchtern ein, »sonst küßt du mich doch fast nie!« – »Das is es ja gerade«, seufzte, von der körperlichen Anstrengung allmählich ermattet, ihr Mann. Um Jahre gealtert, mußte er sich auf einen Sessel setzen und stammelte: »Eben habe ich es im Büro in der Zeitung gelesen. Da habe ich beschlossen, von jetzt ab wird geküßt, bis du mich nicht mehr wiedererkennst. So werde ich wieder jung. Denn das haben die Allensbacher auch herausgefunden: Küssen ist ein Lebenselixier.«

Frau Meyer brachte ihm still die Hausschuhe und strich ihm übers Haar. »Laß man«, sagte sie begütigend, »ich glaube, die von Allensbach haben das verwechselt. Wer viel küßt, ist nicht dadurch voller Lebenslust und Ausstrahlung, sondern umgekehrt, wer Lebensfreude ausstrahlt, der küßt auch gern. Und weißt du, Alois, wenn du dahin kommen willst, dann hast du noch viel vor dir.«

3
Schlingen und Schliche

Kompensieren

Wie verrückt das moderne Leben ist, kann man schon daran sehen, daß wir uns gewöhnlich kaputtarbeiten, um uns den Urlaub leisten zu können, den wir dann auch wirklich nötig haben. Das mag etwas übertrieben klingen, aber als erwiesen darf gelten, daß weit mehr als die Hälfte der Bundesbürger im Urlaub vor allem Erholung sucht. Und warum muß man sich erholen? Weil man soviel gearbeitet hat. Und warum hat man soviel gearbeitet? Um sich den Urlaub leisten zu können. Also doch!

Auch im Arbeitsalltag verfahren wir so. Wir trinken soviel Kaffee tagsüber, um wach zu werden, daß wir abends eine Menge Alkohol brauchen, um uns wieder zu beruhigen. Für Fortgeschrittene sieht das Programm noch bunter aus. Diese Kenner schlucken morgens Wachmacher, bei der Arbeit Beruhigungspillen gegen den Streß und abends Schlafmittel. So ist immer dafür gesorgt, daß ein Mittel das andere rechtzeitig in seiner Wirkung aufhebt.

Das vollkommene Symbol des modernen Regelkreises aber ist die Zigarette, denn sie vereinigt in sich die Wirkung aller genannten Mittel. Im Streß greift man nach diesem Stengel wie der Ertrinkende nach dem Strohhalm, denn das Zeug wirkt beruhigend. Jedoch bleibt dann die zweite, die aufputschende Wirkung auch nicht aus. Das Nikotin, ein Nervengift von angenehmer Wirkung, versetzt den Körper in eine Art Alarmzustand, auch Streß genannt. Und, wie gesagt, im Streß greift man gern zur Zigarette. Womit der Kreis geschlossen wäre. Das Ganze nennt man dann Sucht.

Bei der Ernährung hingegen brauchen wir noch beides getrennt, den Verursacher und das Gegenmittel. Wir essen soviel Weißbrot, daß es dringend geraten scheint, die Kleie, die man dem Mehl entzogen hat, nachzukaufen und als Mittel gegen Verstopfung hinterherzuwürgen. Viele Bundesbürger sollen ebensoviel Geld für Diät und Schlankheitskuren ausgeben wie für das Essen – mit dem sie dann die Grundlage für die nächste Kur legen.

Warum hat man sich eigentlich, um ein anderes Beispiel zu betrachten, angewöhnt, durch Dauerduschen den letzten Schutzfilm der Haut zu vertreiben? Um der Kosmetikindustrie Gelegenheit zu geben, uns Hunderte von Hautcremes und -ölen zu verkaufen, die uns das natürliche Hautfett wieder ersetzen sollen, das wir eben herausgewaschen haben. Gar nicht zu reden von den Leuten, die keinen Schritt auf der Straße zu Fuß machen. Zum Ausgleich, damit der Bewegungsapparat nicht ganz verkümmert, beschließen gerade die Vernünftigen unter ihnen, viel Sport zu treiben, zum Beispiel Jogging. Was aber auch nicht ohne Rückwirkungen ist, die wohl bedacht sein wollen. Denn Joggen führt zu Abnutzungserscheinungen, denen man nun wiederum durch Ausgleichssport vorbeugen sollte. Das alles brauchten die alten Fußgänger nicht, die sich noch täglich langsam und natürlich fortbewegten.

Aber wo soll man heute noch zu Fuß spazierengehen? Bevor man in eine Gegend kommt, wo das Wandern lohnt, muß man so lange mit dem Auto fahren, bis man keinem anderen Auto mehr begegnet. In den Ballungszentren bleibt dann zum Laufen keine Zeit mehr. Der Teufelskreis ist zum Karussell geworden. Aussteigen? Ach, das klingt so radikal. Uns würde auch etwas fehlen. Karussellfahren macht so angenehm benommen. Man möchte das gar nicht mehr missen.

Magische Kreise

Ich weiß nicht, ob Meerschweinchen besonders dumme Tiere sind. Ich kenne nur unsere beiden Exemplare. Die Kinder spielen gern mit ihnen, aber ich kann mich nur wundern. Und das deshalb, weil die beiden Tiere jedesmal, wenn ich in die Nähe ihrer Kiste komme, wie besessen weglaufen und

Zuflucht in ihrer Höhle suchen. Zuerst habe ich mir diese Angst (ausgerechnet vor mir!) ja noch gefallen lassen. Aber allmählich, dachte ich, sollten die beiden Tiere gelernt haben, daß ich ihnen nichts tue. Schließlich könnten die doch mal aus Erfahrung lernen! Dann brauchten sie nicht wie von der Tarantel gestochen in ihre Unterkunft zu wetzen, nur weil sie meine schweren Schritte hören.

Ja, so denke ich. Aber wohl nur ich. Könnten die beiden Meerschweinchen sprechen, dann würde das schwarze Tier vermutlich zu seinem Kumpan sagen: »Wenn wir nicht immer so wetzen würden, sobald sich die schweren Schritte nähern, dann wären wir schon lange nicht mehr am Leben.« – »Genau!« pflichtet ihm das weiße Tierchen bei, »es hat sich ja bestätigt, der Kerl mit den großen Schuhen hat uns doch nur deshalb noch nie erwischt, weil wir so schnell sind.«

Was können wir von den beiden Meerschweinchen lernen? Daß wir Menschen es genauso machen. Betrachten wir mal einen jüngeren Angestellten, der jeden Morgen seinen Chef grüßt, wenn der ins Büro kommt. Er tut das immer frisch und ehrerbietig, der Chef grüßt allerdings recht unterschiedlich zurück: meist leutselig, mal aber auch knapp und eisig. Unser junger Angestellter hat sich nun eine komplizierte Theorie darüber zurechtgelegt, wie er grüßen muß, um den Chef richtig einzustimmen: am Anfang der Woche wortreich, später kürzer, vor acht Uhr mit gesenktem Blick, nach acht lebhaft. Die Theorie ist sogar noch ausgefeilter, aber sie ist leider auch falsch. Denn, um es deutlich zu sagen, wie der Chef morgens zurückgrüßt, hängt allein davon ab, ob er Kopfschmerzen hat oder nicht. Das weiß der Angestellte nicht und glaubt deshalb, der Erfolg gebe seiner Theorie recht. Meist grüßt der Chef ja durchaus nett zurück.

Es gibt sogar Leute, die schwören könnten, es regne nur deshalb nicht, weil sie ihren Regenschirm mitgenommen haben. Verbreitet ist unter Autofahrern die Ansicht, man müsse auf die richtige Weise an eine Ampel heranfahren, damit sie nicht plötzlich auf Gelb springt. Da dürfen wir der Witwe nicht böse sein, die jedem erzählt, ihr Mann – der ihr, beiläufig gesagt, zehn Millionen hinterlassen hat – wäre mehrfach bankrott gegangen, wenn sie nicht so sparsam gewesen wäre. Nur gut, daß ihr Mann das nicht mehr hören kann, denn er fand immer, sein Erfolg und ihre Sparsamkeit hätten nichts miteinander zu tun.

Man macht sich eine Theorie – und siehe, sie scheint sich zu bewähren. Das haben Theorien so an sich. Ich sehe noch deutlich einen Kegler vor mir, der als einer der besten in der kleinen Betriebsmannschaft galt und mir durch seine ungeheuren Verrenkungen nach dem Wurf auffiel. »Warum tanzt der noch herum und beschwört die Kugel?« fragte ich ein Mitglied der Mannschaft. »Das ist sein Erfolgsrezept«, hieß es hinter vorgehaltener Hand. Und der Erfolg hat immer recht.

Davon sind ja auch die Meerschweinchen überzeugt. Es muß sich also um kluge Tiere handeln. Jedenfalls sind sie nicht dümmer als wir Menschen.

Der Alltag schielt

Eine liebe ältere Dame schrieb mir am Ende ihres Briefes, also da, wo man immer begründet, warum man jetzt schließen müsse: »Nun muß ich mich dem Staubwischen hingeben, denn morgen kommt die Putzfrau.« Und damit ich nicht lache, hat sie noch hinzugefügt: »Das ist kein Widerspruch!« Ich kann ihr nur recht geben. So ist das, man hat eine Haushilfe und sagt sich: »In diesem Zustand kannst du die Wohnung der guten Ab- und Zugehfrau nicht anbieten.« Und so räumt man erst mal auf und putzt, um vor ihr bestehen zu können.

Mit den technischen Haushilfen ist es nicht viel anders. Was war das vor Jahren ein Fortschritt, als wir in der Küche endlich eine Spülmaschine stehen hatten. Nur rief sie eine merkwürdige Entwicklung ins Leben. Die Menge an Geschirr, an Töpfen und Besteck, die täglich als schmutzig gemeldet wurde, wuchs und wuchs. »Es gibt ja die Spülmaschine«, sagte sich so mancher und nahm für jeden Schluck Saft ein frisches Glas. Obwohl die Maschine doch dazu da ist, einem die Arbeit abzunehmen, hat man jetzt mit ihr fast mehr zu tun.

Mit der Waschmaschine ist es nicht viel anders. »Es gibt

Tage«, sagt meine Frau, »da mache ich nur Wäsche.« – »Wir sind eben«, entgegne ich melancholisch, »da wieder angelangt, wo unsere Großmütter standen, beim Waschtag.« Nur daß der jetzt auch noch mehrfach in der Woche stattfindet, weil Waschen ja so einfach geworden ist. Irgendwo hat der Fortschritt einen Haken, das zeigt sich auch, wenn ich unsere Spülmaschine reinige. Dieses sonst so tüchtige Modell hat innen ein Sieb, das man gelegentlich kräftig unter fließendem Wasser scheuern muß. Und dann denke ich: Andere Sachen saubermachen kann so eine Maschine, aber sich selbst sauberhalten kann sie nicht. Das ist mit der Seife auch nicht viel anders, die zwar unsere Hände reinigen hilft, dabei aber das Waschbecken mit einem klebrig-schmutzigen Film überzieht. Und was belastet unsere Flüsse und Gewässer am meisten? Die Reinigungsmittel. Wer saubermacht, verschmutzt die Umwelt.

Auch wenn wir, tief verunsichert, den paradoxen Haushalt hinter uns lassen und einkaufen gehen, so entrinnen wir den Widersprüchen des Fortschritts nicht. »Hier zugreifen heißt sparen«, dieser Werbespruch hat es mir besonders angetan, weil er zugleich richtig ist und doch auch wieder nicht stimmt. Sparen kann man manchmal wirklich nur, indem man Geld ausgibt, freilich nur, wenn man die billig angebotenen Sachen wirklich brauchen kann und sowieso hätte kaufen müssen. Und wer kann das, vom Sonderpreis verführt, schon zuverlässig beurteilen?

Von jedem Betriebswirt kann man hören, daß sich eine Anschaffung dann am ehesten amortisiert, wenn sie viel genutzt wird. Wahrscheinlich verhält sich unsere Familie also ökonomisch richtig, wenn sie Spül- und Waschmaschine immer schön vollpackt mit Sachen, die es so nötig noch nicht hätten. Oder wenn sie kräftig zugreift bei Angeboten, die man nur kauft, weil sie billig sind.

Es ist ja durchaus erfreulich, wenn wir Zeitgenossen heute diese Zusammenhänge ahnen. Aber ich frage mich doch, warum einem die Teufelskreise und Sachzwänge immer erst deutlich werden, wenn sie uns schon gefangen haben. Man sollte die Probleme erkennen, bevor sie da sind. Aber das ist wieder ein ganz eigener böser Zirkel.

So ist das Leben

Es kommt vor, daß ich immer noch auf dem Sofa sitze, wenn es längst nach Mitternacht ist, das Buch neben mir, das Weinglas vor mir. Ich weiß nicht, was mich eigentlich hier noch hält – und dann dämmert mir, daß ich wohl nur zu müde bin, um ins Bett zu gehen. Das ist eine ziemlich ausweglose Lage. Hier sitzen bleiben? Nein, unmöglich. Die Nacht wird kühl werden, und außerdem müßte ich das Licht noch löschen. Aber jetzt aufstehen? Auch unmöglich. Und während mir diese Lage bewußt wird, betrachte ich das Leben, das uns so narrt und uns, ohne daß wir es wollen, in einen Widerspruch verstrickt.

Seit früher Jugend ist mir dieser Widerspruch durch einen Onkel vertraut, der gelegentlich als Logierbesuch zu uns kam. Eines Morgens hörte ich ihn durch das Wohnzimmer tappen, in dem er geschlafen hatte. Ich konnte ihn im Dämmerlicht erkennen, wußte aber nicht gleich, was er tat. Er suchte seine Brille. Nun muß man wissen, daß der Onkel so kurzsichtig war wie nur wenige Menschen. So war auch er damals in einer ausweglosen Lage. Denn um die Brille finden zu können, hätte er sie haben müssen. Aber dann hätte er sie ja nicht mehr zu suchen brauchen.

So ist das Leben. Wenn ich auf dem Sofa einzunicken drohe, denke ich: Um schlafen zu können, müßte ich noch munter sein. Genauso mag sich mein Onkel damals gedacht haben: Um besser sehen zu können, müßte ich besser sehen können.

Das Leben verlangt von uns manchmal, daß wir Bedingungen erfüllen, die wir erst als Ziele erreichen wollten. So mancher von uns erinnert sich, wie er zum erstenmal seinen Vater fragte, ob er mal das Auto haben dürfe. Da sagte der Autobesitzer doch tatsächlich: »Du, das kann ich dir erst geben, wenn du mir bewiesen hast, daß du damit auch allein fahren kannst.« Und wie soll man das beweisen, wenn man nicht allein fahren darf?

So ist das Leben. Wenn ein solcher junger Mensch sich dann selbst ein Auto kaufen will, erlebt er fast das gleiche. Er geht zur Sparkasse und erkundigt sich nach einem Kredit.

Dann wird er gefragt, wie er finanziell dastehe. Nachher wird der junge Mann berichten, man habe ihm klargemacht: »Beweisen Sie uns, daß Sie keinen Kredit brauchen, und Sie bekommen einen.«

So ist das Leben allzu oft. Das Ziel erweist sich als Bedingung. Die Braut, ganz in Weiß und in freudiger Erwartung, seufzt in einem lichten Augenblick: »Man sollte nur heiraten, wenn man sicher ist, daß es eine gute Ehe wird.« Aber wie soll man das vor der Silberhochzeit wissen?

Nun sagt sich vielleicht so mancher, heiraten wolle er nicht, Vaters Auto brauche er ebensowenig wie einen Kredit oder eine Brille. Da kann ich nur gratulieren. Aber eins braucht jeder Mensch: Selbstvertrauen. Und das entsteht bekanntlich am besten, wenn man Erfolg hat. Aber wie soll man Erfolg haben, wenn man kein Selbstvertrauen hat? Das ist ein ewiger Kreisverkehr, den man befährt, ohne die Chance, abbiegen zu können. Während man noch vor sich hinbrummt: »Ich traue mir eben nicht viel zu, und deswegen gelingt mir auch nichts«, wird die Fahrt immer langsamer.

Kirchenvater Augustinus pflegte sarkastisch zu sagen: »Man sollte schon schwimmen können, bevor man zum erstenmal ins Wasser geht.« Aber vorgemacht hat er es auch nicht.

Fortschritt verzehrt

Ein Nachbar von uns, Musiker, sehr feinfühlig, dem alternativen Lebensstil zuneigend, zeigte mir sein neues Auto. »Ich habe die stärkste Motorversion gewählt«, sagte er mir mit etwas schlechtem Gewissen und fügte erklärend hinzu: »Das gibt eine Sicherheitsreserve beim Überholen, die manchmal entscheidend sein kann.« Hätte ich nicht gleich pflichtschuldigst genickt, hätte er bestimmt noch darauf hingewiesen, daß er als Ehemann und Vater zu einem hohen Sicherheitsstandard verpflichtet sei.

Das war vor einem Jahr. Ich bin sicher, wenn ich den

Nachbarn heute beobachten könnte, ich würde feststellen, daß er doch inzwischen etwas riskanter überholt als früher. Er hat ja die Sicherheitsreserve und kann sich da manches leisten. Mit dem Ergebnis, daß er jetzt öfter in Gefahr ist als früher, als der lahme Motor ihn zu nichts verführte. Ein Regelkreis sorgt dafür, daß der Fortschritt mühelos an den Ausgangspunkt zurückführt. So ergeht es auch der Straßenbaubehörde. Die guten Leute wollen ja unser Bestes. Kaum haben sie erkannt, wie unfallträchtig doch eine schmale und dazu kurvige Stelle an einer Bundesstraße ist, wird die Stelle verbreitert und begradigt. Mit dem Ergebnis, daß dort nun wirklich ziemlich flott gefahren wird. Es kracht noch genauso häufig, nur nennen die Unfallberichte jetzt andere Gründe als früher.

Die Pisten für Motorradrennen sind in den letzten Jahren sagenhaft sicher geworden. Für die todesmutigen Herren hat man sogenannte »Sturzräume« angelegt, das sind kiesbedeckte Streckenränder, auf denen sich gut schlittern läßt. Ihre Rennanzüge sind wirkliche Schutzanzüge geworden, die neuen Reifen kleben auf der Strecke wie Kaugummi. Doch jetzt, nach Jahren, zeigt sich: Je sicherer die Strecke, desto höher die Unfallquote. Die trügerische Sicherheit verführt dazu, »hart am Limit« zu fahren. Nur, daß das Limit jetzt höher ist.

Das erinnert mich an den Mann, dessen Geld nie für einen Monat reichte und der deshalb eine Gehaltserhöhung bekam. Da sagte er sich: »Endlich habe ich mehr!« Und genau darum reichte es wieder nicht.

Nach dem Motto, man könne gar nicht genug für die Sicherheit tun, wurde das Anti-Blockier-System (ABS) entwickelt. Ein wissenschaftlicher Versuch überprüfte den Fahrstil von Taxifahrern vor und nach dem Einbau der neuen Sicherheitsbremse. Mit dem Ergebnis, daß diese Kutscher nun offensiver und risikofreudiger als je losprschten. So wird der Fortschritt aufgezehrt. Der gestiegene Mut kompensiert das, was die Technik an zusätzlicher Sicherheit gebracht hat.

Das war schon mit den Spikesreifen so, mit dem Streusalz, mit dem Halogenlicht und dem Allradantrieb. Trotzdem unterstützt das Forschungsministerium mit Millionen die Entwicklung von neuartigen Nebelsichtgeräten für schwere Limousinen. Ich dachte immer, im Nebel sei es vernünftig, zu schleichen oder rechts ran zu fahren. Die Regel gelte weiter, heißt es. Na gut, ich sehe ja ein, daß die neuen Sichtgeräte dazu dienen sollen, bei dem Tempo, das schon bisher im Nebel einzuhalten war, wenigstens besser zu sehen. Aber wird sich der beglückte Fahrer darauf einlassen, nicht schneller zu fahren? Nein, er wird diesen Vorsprung an Sicherheit mal wieder aufzehren. Und die Bonner Millionen auch.

Selbst gefangen

Als Immanuel Kant schon ziemlich betagt war, mußte er seinen Diener Lampe entlassen, der ihn jahrzehntelang versorgt hatte, nun aber unzuverlässig geworden war. Der alte Kant konnte sich an diese Veränderung kaum gewöhnen und schrieb in sein Notizbüchlein: »Der Name Lampe muß nun völlig vergessen werden.« Der Selbstwiderspruch, in den sich der kluge Mann damit begab, wäre noch deutlicher hervorgetreten, wenn er geschrieben hätte: »Ich muß jetzt immer daran denken, Lampe zu vergessen.« Wie schwer das zu bewerkstelligen ist, wird jedem vertraut sein, der schon mal versucht hat, über den Schmerz einer Trennung hinwegzukommen.

Es ist auch sehr schwer, einen Menschen, über den man sich geärgert hat, »wie Luft« zu behandeln, denn dieser gute Vorsatz läuft gewöhnlich auf eine so demonstrative Nichtbeachtung hinaus, wie man sie der Luft sonst nicht angedeihen läßt. Selbst die spitze Bemerkung »Mit Ihnen rede ich nicht« hebt sich fast so schön selbst auf wie die Behauptung »Ich schlafe«.

Auch unsere Politiker sind manchmal dazu gezwungen, die Kommunikation zu verweigern. »No comment«, antworten sie in solchem Fall auf die Frage des zudringlichen Reporters, womit sie leider doch schon alles Nötige gesagt haben. »Sind Sie bereit, für das Amt des Vorsitzenden zu kandidieren?« – »No comment«, ist bereits der Kommentar. Wie man es als Politiker dennoch anstellen kann, wirklich nichts zu sagen, wenigstens wenn man telefonisch ausgefragt werden soll, hat der amerikanische Soziologe Erving Goffman verraten – er behauptete, das Rezept sei ausprobiert und bewährt: Statt »No comment« sagt man dann am Telefon: »Ich rufe gleich zurück«, und mit dieser Vertröstung ist man den Anrufer für immer los.

Die Jungvermählte, von einer Freundin eindringlich befragt, wie es im neuen Ehestand denn so laufe, seufzt und sagt dann: »Wenn ich ehrlich sein soll, müßte ich lügen.« Solche Fehlleistungen hat der gängige Witz oft zum Thema gemacht, bekannt ist auch der Vater, der seinen rauflustigen Sohn verprügelt mit der Begründung: »Ich werd' dir helfen, Kleinere zu schlagen!« Wirklich aus dem Leben gegriffen ist der persönliche Referent, der einem Anrufer zuflüstert: »Die Sache ist positiv entschieden, es darf aber noch nicht darüber gesprochen werden.«

Hierher gehört auch das Gespräch zweier durchaus gebildeter Damen, die ich einmal in der Straßenbahn zu belauschen nicht umhin konnte. Sie unterhielten sich breit über eine dritte Dame und warfen ihr dabei vor: »Die tratscht und klatscht aber auch ständig über andere!« Der Kabarettist Gerhard Polt hat einer solchen Frau, seiner Zimmerwirtin aus Jugendtagen, ein Denkmal gesetzt, indem er ihren Ausspruch zitierte: »Das vergess' ich der nie, daß die so nachtragend ist!«

Die strengen Stadtväter von Fort Lauderdale in Florida beschlossen im Oktober 1968 eine Verordnung gegen unzüchtige Schriften. Bei der Beschreibung des Verbotenen waren die prüden Herrschaften so gründlich, daß sich die Zeitung ›Miami Herald‹ am 1. November 1968 aus Gründen der Sitte weigerte, die Verordnung abzudrucken.

Ein Zeuge sagte vor Gericht: »Ich habe den Angeklagten an Orten gesehen, an denen gesehen zu werden ich mich schämen würde.« Ja, selbst Spontaneität will gut überlegt sein.

Trapper und Fallensteller

Ich war zum Abendessen eingeladen, die Gastgeberin hatte großartig gekocht, aber dann kam das Verhängnis. Wenn Gäste alles aufessen, dann ist klar, daß die Hausfrau zu wenig gekocht hat. Lassen sie etwas übrig, dann zeigen sie, daß es ihnen nicht geschmeckt hat. Ich versuchte es mit der dritten Möglichkeit und ließ einen winzigen Rest in der Schüssel. Der Blick der Gastgeberin aber sagte deutlich: »Damit hätten Sie doch Schluß machen können!« Der Gast hat keine Chance.

Nachher erzählte mir der Ehemann, daß seine Frau jetzt studiere, nachdem die Kinder groß seien. Ob er was dagegen habe, fragte ich vorsichtig. »Um Himmels willen«, rief er, »aber ich muß mich vorsehen. Wenn ich nur mal frage, ob sie nachmittags was vorhabe, heißt es, ich sei gegen das Studium.« Er bejahe das Studium also, stellte ich befriedigt fest, dann sei ja alles gut. »So gut nun auch wieder nicht«, sagte er, »wenn ich meiner Frau anbiete, ihr etwas von der Hausarbeit abzunehmen, dann wirft sie mir vor, ich drängte sie zum Studium, weil ich unbedingt eine studierte Frau haben wolle.«

Dem armen Ehemann kann geholfen werden, dachte ich und riet ihm, sich doch einfach in dieser Frage neutral zu verhalten, dann sei jeder Streit unmöglich. »Da kennen Sie meine Frau schlecht«, entgegnete er heftig, »wenn ich ihr Studium ignoriere, dann sagt sie empört, ich würde mich überhaupt nicht für sie interessieren!«

Diese Familie hatte es in sich. Als nächste führte uns die Ehefrau ihre Erfahrungen vor, und ich überrasche meine Leser nicht, wenn ich sage, daß alles auf die gleiche Ausweglosigkeit hinauslief. Wir waren gerade beim Thema Autofahren. »Meinen Mann als Beifahrer muß man zu nehmen wissen, ich weiß nur noch nicht, wie«, erläuterte sie uns. »Wenn ich in der Stadt genau fünfzig fahre, sagt er, ich sei ängstlich. Und wenn ich flott fahre und sogar andere überhole, fragt er mich, ob ich lebensmüde sei.«

Vor diese Alternative gestellt, so schlug ich ihr vor, könne sie doch einfach normal im Verkehrsstrom mitschwimmen wie alle anderen. »Habe ich auch schon gemacht«, sagte sie, »aber dann ruft mein Mann, noch nie hätte er einen so langweiligen Fahrstil erlebt!«

An dieser Stelle müssen wir auf die erwachsene Tochter zu sprechen kommen, die immer noch bei ihren Eltern wohnte. »Ich will Ferien machen«, sagte sie mir, »ich weiß nur noch nicht, wie.« Ob sie nicht wisse, wohin die Reise gehen solle, fragte ich. »Doch, aber ich weiß nicht, wie! Wenn ich allein reise, machen sich meine Eltern Sorgen, daß ich kontaktarm und isoliert bin.« Ich riet, sie könne doch mit einer Freundin fahren. »Dann tuscheln meine Eltern: Hoffentlich hat sie nicht nur Beziehungen zu Frauen.« Mir blieb nichts übrig, als ihr vorzuschlagen, es mit einem Freund zu versuchen, dagegen könnten ihre Eltern doch nichts haben. »So etwas tut man nicht, behaupten meine Eltern«, sagte sie resigniert, »darum verreise ich halt gar nicht.«

In diesem Augenblick konnte ihr Vater wohl nicht mehr an sich halten. »Werd' endlich erwachsen«, herrschte er seine Tochter an, »widersprich mir doch mal!« Sie sagte nur sanft und schuldbewußt: »Du hast ja recht.« – »Du sollst mir endlich mal widersprechen!« schrie der Patriarch. »Ja«, sagte die Tochter. Die Beziehungsfalle hatte sich hinter uns geschlossen.

Nötigung

An einer Bushaltestelle hörte ich einen jungen Mann zu seiner Freundin sagen: »Deine Eltern haben echt 'n Hammer im Kopf, weißt du das?« Mir gingen diese Worte nach. Nicht wegen des Hammers, den haben Eltern heute oft im Kopf. Nein, wegen des Nachsatzes. Der junge Mann hatte ja angehängt: »weißt du das?« Zu meiner Zeit hätte man eher gesagt: »findest du nicht auch?« Das ist ein Unterschied.

Die Freundin wurde von ihm ja nicht um Zustimmung ersucht, sondern er fragte nur ihren Wissensstand ab. Die Behauptung mit dem Hammer erscheint nun nicht mehr bloß als Ansicht, der man zustimmen kann oder nicht, sie wird als Tatsache hingestellt, die man entweder weiß oder nicht weiß. Oder ist das Wortklauberei?

Machen wir doch die Gegenprobe. Falls die Freundin hätte bestreiten wollen (könnte ja sein), daß ihre Eltern besagten Hammer im Kopf haben, wie hätte sie antworten sollen? Hätte sie »nein« gesagt, so hätte sie nur bestritten, von der angeblichen Tatsache schon zu wissen, und sie damit als solche bestätigt. An der Bushaltestelle hätte ich mich wohl besser einmischen und den Jüngling fragen sollen: »Wissen Sie, daß das eine Nötigung ist?« Ich wette, er hätte die unfaire Unterstellung ohne Mühe aus meinen Worten herausgehört.

»Ich stelle hier fest«, skandiert der Minister, »die Opposition hat soeben ihren moralischen Bankrott erklärt!« Hat sie nicht, und die kühne Behauptung vom Bankrott ist auch keine Fest-, sondern eine Unterstellung. Aber »Ich stelle fest...« klingt so seriös und neutral nach bloßer Nennung der Fakten.

Diese Art, dem Gegenüber eine Zwickmühle zu bauen, kann auch sehr kultiviert vorgebracht werden. Ich habe mich mal lange mit einem geistvollen Herrn unterhalten, der seine Bemerkungen gern einleitete mit: »Ist Ihnen schon mal aufgefallen...« Das ging dann etwa so: »Ist Ihnen schon einmal aufgefallen, daß fast alle abstrakten Maler im Wahnsinn geendet sind?« Was sollte ich sagen? Wahrscheinlich habe ich gemurmelt: »Nein, das ist mir noch nicht aufgefallen...« Ich hätte ihn besser fragen sollen: »Äußern Sie immer noch so gern Unterstellungen?« Die Frage ist eine Art Selbstdemonstration, denn sie ist bereits die Unterstellung, die sie bei anderen vermutet. Noch unhöflicher und krasser tritt das zutage bei der Frage: »Haben Sie eigentlich inzwischen aufgehört, Steuern zu hinterziehen?« Bei der Antwort könnte man leicht ins Stottern geraten: »Nein, ich habe nicht, ich meine, doch! Nein, ich habe aufgehört beziehungsweise nie aufgehört, denn ich habe nie damit angefangen...«

Ganz Tapfere antworten in einem solchen Fall mit der Gegenfrage: »Und Sie, trinken Sie immer noch soviel Whisky?« In einem anonymen Schmähbrief, den ich einmal bekommen habe, stand der Satz: »Auf welcher Schule sind Sie gescheitert?« Das war wirklich nicht schlecht gefragt.

Sehr viel liberaler formulierte doch ein bekannter bayrischer Politiker, der seinen politischen Gegnern meist noch die Wahl zwischen zwei Möglichkeiten ließ. Etwa so: »Wer das behauptet, ist entweder schwachsinnig oder ein Verleumder!« Da darf sich jeder das passende Schild selbst umhängen. Man könnte dem Herrn aber auch mit gleicher Münze heimzahlen und sagen: Ihre Rhetorik zeugt entweder von einem Mangel an Bildung oder von einer Unkenntnis der guten Manieren.

Vorsicht, Fachmann!

»Katzenmusik« sagen einige zur modernen atonalen Musik. Andere sehen in den Zwölftönern und Geräuschfabrikanten nicht weniger als die Mozarts und Schuberts unserer Zeit. Wer recht hat – ich will es hier gern offenlassen. Es geht mir nämlich nicht um die modernen Komponisten, sondern um ihre eifrigsten Anhänger.

Vor kurzem geriet ich wieder an einen solchen Gemütsmenschen. Mit der Gemütlichkeit war es allerdings vorbei, als ich Zweifel an der neuen Musik äußerte. Der Mensch legte nun eine Schlinge aus, in der ich mich fangen sollte. Er sagte: »Um unsere moderne Musik beurteilen zu können, muß man sich schon ausführlich mit ihr beschäftigt haben.« Ein Satz, der harmlos klingt, aber er ist schon die ganze Schlinge.

Entweder muß ich mich jetzt zurückziehen und zugeben, daß ich kein Fachmann bin und nicht mitreden kann. Oder ich beharre auf meinem Urteil, dann muß ich mir vorhalten lassen: »Wer diese Musik ablehnt, beweist damit nur, daß er sie nicht genügend kennt.« Und zu meiner größten Peinlichkeit würden Nachfragen tatsächlich zeigen, wie wenig bewandert ich auf diesem Gebiet bin.

Die Entmündigung des Laien gibt es überall. Künstler behaupten manchmal, kritisieren dürfe nur, wer es besser zu machen wisse – dieser Satz ist schon durch Lessing endgültig widerlegt worden. Ingenieure der Atomkraft weisen darauf hin, daß fast alle Fachleute entschieden für die Atomkraft sind – und dort, sage ich, schließlich ihr Geld verdienen. Dem medizinischen Laien steht sowieso nur die Rolle des dankbaren Patienten wirklich gut zu Gesicht. Überall das gleiche.

Sehr fromme Menschen sind in Diskussionen auch nicht einfach. Allzu einnehmend müssen sie einem versichern (mit glutvollen Augen und schmalen Lippen): »Solange Sie Gott ablehnen, zeigen Sie nur, daß Sie ihn noch nicht gefunden haben.« Und schon ist man der religiöse Anfänger, der gut daran täte, weiterzusuchen und – bis der glückliche Fund endlich doch getan – den Mund zu halten. Will man das nicht, kommt es noch schlimmer: »Wer Gott leugnet, bestätigt ihn damit unfreiwillig, denn wie könnte man ein Gegner sein von etwas, was es nicht gibt?« Das ist sehr schlicht, lassen wir es auf sich beruhen.

Noch besser können es eingefleischte Marxisten. Leugnet man ihre Lehre, so bekommt man zu hören: »Solange du in deiner bürgerlichen Existenz lebst, kannst du den Marxismus gar nicht verstehen, denn das Sein bestimmt das Bewußtsein. Schließ' dich den revolutionären Massen an, und du wirst merken, es stimmt alles.« Teure Eintrittskarten für diesen Debattierclub.

Fanatiker aller Schattierungen, vereinigt euch! Zum Schluß gestehe ich, daß mir auch eine Schlinge nicht gefällt, die von Sigmund Freud ausgelegt wurde. Er hat nämlich festgestellt, daß nicht viel darauf zu geben sei, wenn ein Patient die Deutung des Fachmanns ablehne, denn das sei schlicht »Widerstand«. Ja, der Widerstand bilde den Beweis dafür, daß die Deutung des Doktors eigentlich richtig sei; so treffend – in jedem Sinne – sei diese Deutung offenbar, daß der Patient in der Tat viel Grund habe, sich gegen sie zu wehren. Widerstand zwecklos.

Es sei denn, unsereiner sagte zu all diesen Experten nur: »Was sind mir das für Schlingen und Schliche, Sie schleichender Schlingel! Ich habe mir erlaubt, Sie ebenfalls zu durchschauen.«

Wohltuend beschränkt

Ich bitte meine verehrten Leserinnen und Leser jetzt nur um eins, sich nämlich etwas vorzustellen, was man sich schlecht vorstellen kann. Bitte schließen Sie die Augen und denken Sie sich, es sei eine Farbe entdeckt worden, die es bisher noch nicht gab. Der Regenbogen enthält sie nicht. Wie könnte sie aussehen?

Ich fürchte, man kann sich noch nicht einmal denken, daß es überhaupt etwas gibt, was man sich nicht vorstellen kann. Trotzdem mag es eine Menge Dinge geben, die wir uns nur nicht denken können. Zum Glück hat es die Natur – zu unserer Beruhigung – so eingerichtet, daß wir an diesem Mangel nicht leiden müssen. Wir merken ihn gar nicht, denn was man nicht kennt, entbehrt man auch nicht. Das ist, wenn Sie erlauben, das letzte Paradox, das ich Ihnen in diesem Teil des Buches vorstellen wollte.

Wieviel Aufregung gab es doch, zu Recht, als Albert Einstein nachgewiesen hatte, daß der Raum mehr als die drei Dimensionen hat, die wir wahrnehmen und uns vorstellen können. Das war eine Kränkung für das menschliche Gemüt; eigentlich hätte sie einen Aufschrei der Empörung auslösen müssen, aber nichts dergleichen. Da muß man doch fragen: Leute, stört es euch nicht, hinnehmen zu müssen, daß eure Sinne nicht dazu geeignet sind, die Wirklichkeit so aufzunehmen, wie sie wirklich ist? Nein.

Wie gesagt, wir ahnen nicht einmal, was uns entgeht. Es soll zwar schon Leute gegeben haben, die in tiefster Meditation und höchster Verzückung den Himmel haben offenstehen sehen. Aber davon hört man, ohne beunruhigt zu sein, denn man vermißt nicht, was man nicht kennt. Ein Hund weiß auch nicht, was ihm entgeht, wenn ihm Mozart und die Beatles verschlossen sind. Müßte er, bei einem Gefühl für seinen Mangel, vor Entbehrung immerzu jaulen? Das brauchen wir nicht zu wissen. Es reicht uns zu sehen, daß der Hund ohne diese Wahrnehmungskraft ein vollständiges und glückliches Wesen ist.

Ich habe auch noch nie einen Leser von ergreifenden Gedichten – sagen wir, von Ingeborg Bachmann – sagen hören, so tief erleben wie diese Dichterin könne er, der Leser, leider nicht. Nein, man sagt wohl eher: So hätte ich das nicht ausdrücken können. Ein Leser kann von Gedichten nur soviel aufnehmen, wie er zu empfinden fähig ist. Wer aber weiß, ob nicht noch mehr drinsteckte? Dafür hat man kein Aufnahmeorgan. Man sieht die Farben nicht, die man nicht kennt.

Die größte Güte und Weisheit der Natur zeigt sich aber da, wo sie es uns erspart, uns selbst für dumm zu halten. Jeder findet, daß er schlau genug ist. Ich habe jedenfalls noch keinen getroffen, der sich darüber beklagt hätte, er sei geistig unterbelichtet. Wenn jeder Mensch glaubt, er habe ausreichend Grips im Kopf, so kann das zwar nicht stimmen, dieser gute Glaube aber muß einen Grund haben. Offenbar ist das einzige Gut auf der Welt, das gerecht verteilt wurde, der Verstand, denn jeder ist mit dem zufrieden, den er zur Verfügung hat.

Ich erkläre mir das so: Über seine eigenen Grenzen kann keiner sehen, darum stören sie nicht. Nicht einmal bis zu diesen Grenzen kann man blicken, schon gar nicht darüber hinaus auf die paradiesischen Gefilde des Geistes, die sich – ganz objektiv – dahinter befinden müssen. Nichts ist wohltuender als schlichte Beschränktheit. Wären wir sonst so zufrieden?

4
Altes und Neues

Flachdach

»Einfamilienhaus zu verkaufen«, hatte es in der Anzeige geheißen, »Am Wiesenrain 17«. Die Interessenten kamen, sie fuhren im Auto den Wiesenrain entlang, schlichen besonders langsam vor Haus 17 und gaben dann Gas. Der Besitzer hinter der Gardine verstand die Welt nicht mehr. Doch da, einer hielt, klingelte, bezog sich höflich auf die Anzeige und murmelte dann entschuldigend: »Ich wußte nicht, daß es sich um einen Flachdach-Bungalow handelt.« Obwohl dieser Mitmensch bemerkt haben mußte, wie enttäuscht der Hausbesitzer aussah, brachte er doch noch seine Frage vor: »Entschuldigen Sie, kann man da noch nachträglich ein schönes hohes Dach draufsetzen?«

Man konnte nicht, dazu waren die Wände nicht tragfähig genug. (Also wirkte die Frage nur als Beleidigung.) Bis vor wenigen Jahren war so ein flacher Schuhkarton das Schickste am Markt. Ein Hauch von indischer Kolonialzeit – daher der Name –, unbeschwert von abendländischen Traditionen, die Fenster teils als Panoramascheibe, teils als bänderförmige Sehschlitze und Schießscharten über Augenhöhe ausgeführt. Das war weltmännisch. Das Haus ohne sichtbares Dach wirkte, als seien die Bewohner bereits eingezogen, obwohl es oben noch hereinregnete. Was es natürlich nicht tat, jedenfalls nicht sofort.

Dieser erbärmliche Eindruck entsteht heute besonders da, wo neben dem Bungalow neue Häuser mit riesigen Walmdächern (Marke Landhaus) entstanden sind. Erstkläßler kommen heute weinend aus der Schule und erklären: »Die anderen haben gesagt, unser Haus wär' noch nicht fertig!«

Und doch, was für ein Haustyp! Mir ist nach einem würdigen Nachruf zumute. Die Mode kam Anfang der fünfziger Jahre auf. Wer damals tapfer bereit war, seinen angeborenen

Gefühlen entgegenzutreten, ließ sich ein Haus bauen, das niemals ein Dach bekommen sollte, dafür aber Wände aus Sichtbeton, Glasbausteine um die Haustür und Neonlicht im Wohnzimmer.

Diese tapfere Generation ist ausgestorben. Die romantischen Schwärmer von heute reiben sich die tränenden Augen, sobald auch nur das Wort »Neon« fällt. Glasbausteine, als einbruchsicher und pflegeleicht empfohlen, den Industriebauten abgeguckt, erinnern heute jeden gefühlvollen Naturfreund an Gefängnisse. Gar Beton, früher als erfrischend brutal gerühmt, ist längst verdächtig und zu einem Wort geworden, das nur noch mit Haß ausgesprochen wird. Nicht einmal Putz gilt noch etwas, es müssen Verblendklinker sein, am besten massive Klinker – und die auch noch in verschiedenen Fehlfarben.

Schließlich das Dach. Wo bist du, kühnes Flachdach, geblieben? »Bedaure«, sagt der Mann von der Fertighausfirma, wenn man ihn, nach langem Blättern im Katalog, zögernd nach einem Flachdach-Bungalow fragt. »Bedaure«, sagt er und guckt einen an, als habe man sich ohne Not zu einer Abartigkeit bekannt. In seinem Katalog türmen sich über den Fertighäusern nur noch riesige Dächer wie die Glucken über den Eiern. Man will heute sein Heim wohlbehütet. Das Seelenleben will unter Dach und Fach.

Ja, auch unter Fach! Vielleicht sollten Sie es bei Ihrem alten Bungalow nicht nur mit einem Steildach darüber, sondern auch mit einer Fachwerkfassade davor versuchen. In jedem Fall müßten Sie mit dem Umbau bald beginnen. Ich meine, Sie sollten fertig sein, ehe die letzten Bungalows unter Denkmalschutz gestellt werden.

Als Kuriosum.

Spritzen

Wenn der Arzt uns bittet, den Arm freizumachen, und eine Spritze aufzieht, so ist das der Inbegriff der modernen Medizin – trotz Kobaltkanonen und Computertomografie. Von der Kanüle, die in die Blutbahn führt, erwartet man immer noch das schnellste Heil. »Herr Doktor, eine Spritze!« bittet der Patient, der nicht lange auf die Segnungen der Medizin warten will. Ruckzuck muß es gehen, was sollen Salben und Tropfen? Immer rein mit der Nadel ins geduldige Fleisch – und dann das große Aufatmen. Gott, wie das wirkt!

Darum ist die Spritze zum bildhaften Ausdruck geworden, zum Symbol der modernen Zeiten. Die notleidende Wirtschaft braucht dringend eine Finanzspritze, also keine Wickel und keine Einreibungen, keine Tabletten und kalten Güsse! Nein, gleich in die Blutbahn mit den flüssigen Mitteln, damit es hilft. Genau! Es soll schnell gehen. Das sagt sich auch der Drogensüchtige, der das Haschrauchen ebenso leid ist wie das Hochziehen des Kokains, die Heroinspritze soll es nun bringen.

Die Spritze, das ist die Neuzeit in einem Wort, selbst mit ihren Schattenseiten. Bleiben wir gleich bei der Spritze, die unter die Haut geht. Der Tierarzt wird gebeten, es doch ganz sanft und diskret zu machen, wenn Bello oder Muschi es nicht mehr so recht bringen. Das nennt man »einschläfern«. Im Nazireich hat man das mit geistesschwachen Menschen gemacht. »Abspritzen« war der Fachausdruck, auch das sind die modernen Zeiten.

Der gespritzte Apfelsaft ist hingegen wieder etwas Harmloses, der gespritzte Apfel schon weniger. Man muß ihn abwaschen – besser: schälen –, um das Kontaktgift wegzukriegen, vielleicht auch noch das Konservierungswachs. Aufgetragen sind beide natürlich nicht mehr mit dem Pinsel. Es wird genebelt heute, aus der Spritze.

So ist das in unserem Nährstand. Für ihn ist das Spritzen fast ebenso wichtig wie für den Arzt. Da wird im Frühsommer auf den Feldern das Unkraut triefnaß »heruntergespritzt«, damit man nicht mehr hacken muß. Dann kommt die Giftdusche gegen das Ungeziefer. In den Obstplantagen und Gemüsebeeten ist es am schlimmsten. Die braune Soße riecht übel. Es wird einem blümerant, man könnte direkt eine Spritze brauchen. Da will der Hobbygärtner in seinem Wohnzimmer nicht altmodisch bleiben, auch wenn er nur die Spraydose ergreifen kann, um seine Pflanzen mit Wolken von Insektengift zu besprühen. Die Dose ist die Spritze in ihrer handlichsten Form. »Spray« ist ja nur das englische Wort für die gleiche Sache.

Wie Raketen auf der Abschußrampe stehen die Dosen im Badezimmer: Körperspray, Haarspray, Mundspray, Intimspray, Nasenspray; es gibt keine Körperstelle und schon gar keine Körperöffnung, die man nicht besprühen könnte. Eine gewisse Steigerung finden wir nur noch im Hobbykeller, falls der fortgeschrittene Heimwerker da auch eine Spritzpistole stehen hat. Ich übertreibe nicht, wenn ich sage, in diesem Wort kämen zwei Inbegriffe unserer Kultur zusammen. Spritzpistole, jetzt haben wir endlich die Spritze mit echt Druck dahinter, die auch noch zielgenau schießen kann.

Alle Mann an die Spritze! Nein, das erinnert zu sehr an die gute alte Feuerwehr, die mit dem Spritzen mal angefangen hat. Sie ist uns anderen noch immer voraus. Der Brandmeister nämlich verfügt heute über mehr, über eine Schaumkanone.

Das Lineal als Ideal

»Kennen Sie den Unterschied zwischen einem antiken Schrank und einem Stilmöbel?« fragte mich der vornehme Rentner, dessen Wohnung ich gerade ausgiebig bewundert hatte, den Frankfurter Schrank darin am meisten, ein gewaltiges Stück mit fast dreihundert Jahren auf dem Buckel. Ich versuchte eine Antwort: »Alte Möbel spielen in vielen Farbtönen, sie haben Gebrauchsspuren, sind windschief...«

Mein Gastgeber war mit meinen Antworten nicht ganz zufrieden. Darum stand er auf, wandte seine massige Gestalt dem Frankfurter Schrank zu und begann, mit den Händen die Maße der Türen abzugreifen. Dazu sagte er nichts, ich mußte schon selbst genau hinsehen. Und tatsächlich, die beiden großen Türen, auf den ersten Blick symmetrisch, waren in allen Einzelheiten verschieden, da fehlte manchmal eine Handbreit am Ebenmaß.

»Das hat der Tischler nicht gemacht, weil er gerade das Stück Holz nicht passend hatte, das war Absicht«, verkündete er mir mit der schwärmerischen Stimme des Liebhabers, »die wußten, daß Schönheit aus der Verweigerung der Symmetrie kommt!« Wie zur Begründung erwähnte er noch, man habe herausgefunden, daß auch alle schönen menschlichen Gesichter stark asymmetrisch seien.

Als wir längst wieder saßen, steuerte ich bei, um auch mit etwas Wissen zu glänzen: »Die griechischen Tempel sind ja auch mit Absicht krumm gebaut worden. Man hat Skizzen der Baumeister entdeckt. Sie zeigen gewölbte Linien, damit der Eindruck schwebender Würde entsteht.«

Mein Gastgeber nickte wissend. Er brachte die Sprache auf die heutige Denkmalspflege. »Wenn man eine mittelalterliche Burg oder Kaiserpfalz wieder aufbaut, wirkt das Ganze merkwürdig modern, also tot, obwohl wahrscheinlich jedes Detail stimmt. Ich habe lange nicht gewußt, woran das liegt.«

»Es ist alles so symmetrisch!« warf ich schnell ein, weil ich ihn doch kannte. »Das auch«, sagte er, »aber noch schlimmer ist, daß die modernen Baufirmen es nicht übers Herz bringen, auch nur einen Zentimeter aus Lot und Waage zu gehen. Ja, auf den Millimeter stimmt alles! Und darum stimmt nichts mehr, wenn das Bild eines mittelalterlichen Bauwerks entstehen soll. Statt dessen: der Charme einer Fertiggarage! Da war die moderne Rasterfassade der sechziger Jahre doch ehrlicher. Die sollte wirklich an die Präzision einer Maschine erinnern. Dieser Starrkrampf eines Lineals.«

»Genauso sieht in der Altstadt von Braunschweig die mittelalterliche Burg aus, die man detailgetreu wieder aufgebaut hat«, sagte ich, »wie frisch vom Fließband aus einer Plastikfabrik! Auch wenn man Naturstein sieht, aber der ist nur vorgesetzt vor eine Hochpräzisionskonstruktion aus Beton. Verlogener als jedes Stilmöbel.«

Mein Liebhaber alter Möbel stimmte zu: »Die Stilmöbel

sehen alle so glatt und exakt aus, als seien sie aus Preßholz gestanzt, auch wenn noch so viele Schnörkel das verdecken sollen. Das Alte in seiner Eigenwilligkeit kriegt man offenbar schlecht hin. Keiner, der es wenigstens mal probierte – nicht einmal die Fälscher.«

»Aber bei Ihrem Frankfurter Schrank«, sagte ich, »haben die es doch toll hingekriegt.« – »Und ich bewundere«, brummte er, »die Symmetrie Ihres Gesichts.«

Ruf mal an!

Man ist ja nicht gern grausam, aber man muß mit der Zeit gehen. Das sollte eigentlich auch für meine Tante Susi gelten! Sie schreibt immer noch Briefe mit der Hand. »Liebe Tante Susi«, habe ich ihr jetzt zum letztenmal schriftlich geantwortet, »Du schreibst mir immer noch zum Geburtstag, andere telefonieren. Sollten wir uns nicht mal der neuen Zeit öffnen?« So in der Art. Ich habe ihr auch gleich mal Tips gegeben. »Man läßt heute«, schrieb ich, »seine Glückwünsche gern in die Zeitung einrücken, hast Du bestimmt auch schon gesehen – ›Meiner Mausi alles Gute von ihrem Kater‹ –, oder man mietet mal eine einzelne Plakatwand schräg gegenüber der Wohnung des zu Ehrenden, da steht dann über Nacht etwa: ›Unserem Andi zur Volljährigkeit viel Glück, und mach kein' Scheiß!‹ Ja, es gibt auch, liebe Tante Susi, flotte Boten auf Rollschuhen, die jeden Glückwunsch als Arie vortragen und der Hausfrau Küßchen geben.«

So schrieb ich der Dame aus der Grufti-Show, aber ob sie diesen Wink für meinen nächsten Geburtstag verstanden hat, weiß ich nicht, dabei gibt es sogar schräg gegenüber von uns wirklich eine Plakatwand. »Dies ist vielleicht mein letzter Brief an Dich«, schrieb ich offen – denn Ehrlichkeit gehört ja dazu. »Die Post wird jetzt, wie Du weißt, beschließen, daß Briefe kostendeckend frankiert werden müssen und daher mit vier Mark vierzig freizumachen sind.«

Nun soll man die alten Menschen ja nicht so ganz auf sich gestellt und ohne Rat lassen, darum fügte ich hinzu: »Du könntest Dir auch einen Fernschreiber einrichten oder besser noch Teletext. Dann geht es ganz schnell, und ich muß auch nicht immer Deine Briefumschläge aufreißen. Außerdem kann man alles besser lesen, denn das Entziffern hat doch, offen gesagt, immer recht viel Zeit gekostet. Die Mitteilungen, die vom Bildschirm kommen, die kann man auch leicht wieder löschen, und man hat keine Probleme mit der Entsorgung. Du verstehst, ich meine Zusammenfalten, Aufheben und so.«

Ja, weil die neuen Zeiten bei der Post nun wirklich kommen werden, in denen alles kostendeckend sein muß, sollte man auch gleich mal ein offenes Wort mit der Tante über diese Dinger von Paketen sprechen, sagte ich mir. »Auch Pakete sind nun bald unbezahlbar. Am besten machst Du Geschenke dann immer zum Abbuchen, über Teletext. Das kannst auch Du noch lernen. Auswahl aus dem Katalog und Versand mit dem privaten Paketdienst. Deine zerdrückten Kuchen und zerbröselten Plätzchen, entschuldige, das kann die Post jetzt nicht mehr unterstützen. Bei Deinen Liebesgaben kostete das Porto echt mehr als der Inhalt, was doch wirklich Verschwendung zu nennen ist.«

Wenn alles bei der Tante nicht hilft, wenigstens das Telefonieren könnte sie zusätzlich noch lernen. Darum schrieb ich ihr: »Sagst einfach ›Hallo!‹ und ›Wie geht's bei Euch denn so?‹, wie das heute üblich ist. Dann schwätzt Du ein bißchen, bis es beiden Seiten zu dumm wird. Das ist heute eben so. Die Post unterstützt das Umsteigen vom Briefschreiben auf das Ferngespräch – einfach über den Preis. Darum, liebe Tante, versuch' tapfer zu sein. Ruf einfach mal an.«

Was soll ich sagen, das mit den Briefen hat sie jetzt wirklich gelassen, wie die moderne Post das wünscht. Nur – angerufen hat sie noch nicht.

Fernsehen ist einfach anders

Unter strebsamen jungen Leuten kommt es heute durchaus vor, daß jemand zum Fernsehen will. Bleibt nur noch die Frage: vor oder hinter die Kamera? Gut, vor die Kamera, dort, wo Prominenz zum Schicksal wird. Aber ich sage Ihnen, da müssen Sie ordentlich umlernen, schon bei den Probeaufnahmen. »Kamera läuft, Ton ab!« brüllt irgend jemand, und schon fangen Sie an, so munter und unbefangen zu plaudern, wie Sie das immer machen. Aber vor der Kamera ist vieles anders.

Dem Neuling, der zum erstenmal Moderator spielen soll, wird zunächst gezeigt, wie es hier üblich ist. »Immer in die Kamera sprechen!« ruft die Regisseurin, denn beim Fernsehen wird die eiserne Überzeugung gehegt, der Zuschauer wolle angesehen werden, während man ihn anredet. Und wo sonst soll der irrende Blick des Moderators den Zuschauer finden als in der Kamera? Ja, genau da sitzt er, klein, aber unübersehbar! Also Augen aufreißen und starr geradeaus blicken.

So ist es recht. Zur Abwechslung ist es erlaubt, daß der Moderator, während er den Zuschauer anspricht, den Kopf mal nach links, mal nach rechts wendet. Aber nur den Kopf! Der Blick bleibt wie angeklebt immer auf der Linse der Kamera. Sieht, vom Wohnzimmer aus betrachtet, etwas kokett aus, wenn mir der Ansager da Blicke schmeißt und kein Auge von mir lassen kann. Aber was schreibe ich hier vom Zuschauer, wir wollten ja gerade die Neulinge bei der Kameraprobe einstimmen.

Also, wenn Sie ein bißchen üben, kriegen Sie das hin, obwohl unsere Natur es anders will. Von Jugend auf sind wir es gewohnt, unser Gegenüber beim Sprechen nicht ständig anzusehen. Unsere Augen sind taktvoll genug, denjenigen, der uns zuhören soll, nicht zu fixieren. Das können Sie in fast jedem Privatgespräch überprüfen: Wer spricht, blickt dem anderen nur zu Anfang in die Augen, dann sieht er an ihm vorbei; und erst, wenn er das Rederecht abgeben will, wandern die Augen wieder zum Gegenüber, gleichsam um den Stabwechsel vorzubereiten.

Im Fernsehen gelten andere Gesetze. Da gibt es ja auch keine Zwiesprache zwischen Moderator und Publikum; um so größer soll die Ausstrahlung des Medienmenschen sein. Jung und dynamisch starrt er in die Linse und durch dieselbe ins Wohnzimmer, er sprüht dabei vor Intimität und Verbundenheit.

Als mir diese Kunst, echt fernsehmäßig zu gucken, mal beigebracht worden war, dachte ich, das müsse ich wohl üben, damit ich nicht so oft den Blick senkte, wenn es darauf ankam. Also übte ich das mal, als ich im Arbeitsalltag mit einer Kollegin zu reden hatte. Offenbar muß ich die Augen allzu starr aufgerissen haben, während ich sie ansprach. Das ging nicht gut. Sie fand es auffällig und sah mich fast besorgt an, als fürchtete sie sich vor mir. Offenbar kann man im Alltag nicht fürs Fernsehen üben. Das fällt sofort auf. Fernsehen ist einfach anders.

Im Alltag sieht man sein Gegenüber, während man selbst redet, wie gesagt, nicht ständig an, oder besser: blickt ihm nur dann dauernd ins Gesicht, wenn man – wütend ist. Ja, wütend! Nein, halt, man kann dem anderen auch aus einem anderen Grunde so tief in die Augen schauen. Aus inniger Liebe. Und das muß es wohl sein. Diese Fernsehprofis wenden keinen Blick von uns, weil sie uns lieben! Und wir glotzen dankbar zurück. Schließlich kennen beide Seiten einander ja nicht.

Alles für die Gesundheit

Meine Ärztin hat mir alles verboten. Die Ärzte bilden eben heute den einzigen Stand, der seine Erziehungsaufgaben noch ernst nimmt. Die verbieten einfach. »Gesundheit ist Ihr höchstes Gut«, sagte sie noch. Und ich beschloß, mein Leben augenblicklich der Gesundheit zu weihen. Das wird ganz schön anstrengend werden.

Jeden Morgen werde ich Gymnastik machen müssen. Sechsunddreißig Übungen gelten als unerläßlich. Einen Leitfaden dazu habe ich schon. Oder genauer gesagt: zwei Leitfäden. Nur, welcher hat recht? Die meiste Zeit habe ich überhaupt bisher damit verbracht herauszufinden, was denn nun wirklich gesund ist. Margarine oder Butter? Alles roh oder weichgekocht? Sonnenbaden oder lieber käseweiß? Klar ist mir schon, daß man zwar Skigymnastik machen, aber beileibe nicht Ski fahren soll, weil das viel zu gefährlich ist. Aber jeden Morgen joggen wird empfohlen, allerdings nur vom Herzspezialisten, wohingegen der Orthopäde die Hände erhebt und den Joggern rät, frühzeitig einen Pflegeplatz im Krüppel- und Siechenheim zu buchen. Für die Gesundheit jedoch, sage ich mir, macht man sich gern kaputt.

Einmal im Monat zur Vorsorgeuntersuchung, das wird für mich natürlich nun Pflicht. Und wöchentlich zum Zahnarzt. Essen werde ich, immer eine Kalorientabelle in der Hand, nur noch selbstgezogene Biokost. Auch die Vitamine wollen genau berechnet sein. Das alles kostet Zeit. Ich weiß noch nicht, wie ich morgens rechtzeitig zur Arbeit kommen soll, wenn ich nach Gymnastik und Joggen erst noch auf dem Balkon den Salat gießen und dann die Körnermühle drehen muß. Gesundheit dauert echt Stunden.

Wird sie zum Hauptberuf, so sollte man sich nach einer Halbtagsstelle umsehen. Das ist auch insofern besser, als heute doch die größten Gefahren für die Gesundheit von der Berufswelt ausgehen. Sitzt man erst auf einer Halbtagsstelle, sitzt man schon gesünder.

Wie sonst sollte ich auch zu meinen täglich zehn Stunden Schlaf kommen, die als natürlich gelten? Und die braucht man tatsächlich, wenn man erst einmal den Aufputschmitteln Kaffee und Tee für immer entsagt hat. So paßt eins zum anderen. Mit den Hühnern ins Bett, das ist auch darum schon einleuchtend, weil man dann gar nicht in die Versuchung kommt, sich den gesundheitsschädigenden Einflüssen der Vergnügungslokale auszusetzen. Keinen Alkohol, keine Zigaretten mehr, kein Fernsehen und keine Gruselfilme mit ihren Herzattacken. Außerdem ist der Schlaf vor Mitternacht der gesündeste.

Nur eins ist mir noch nicht ganz klar: Wie ich auf meiner künftigen Halbtagsstelle genug verdienen soll, um mir soviel Gesundheit leisten zu können. Die Tees und das Frischgemüse, den Honig und die Naturwässerchen, von der Körnermühle und dem Naturbett mal ganz abgesehen? Allein der Etat für Gesundheitsbücher und Spezialzeitschriften! Und ohne diese Literatur weiß man doch gar nicht, was man hat. Oder besser: was einem fehlt.

Man soll jedoch, so wird uns verheißen, bei konsequent gesunder Lebensweise mindestens fünfzehn Jahre älter werden. Bleibt nur offen, ob sich das Älterwerden bei solch einem Leben noch lohnt. Nein, ich sehe schon, ich lasse mir besser doch nichts verbieten. Wenn man sich auf die Gesundheit wirklich einläßt, wird man bestimmt noch ganz krank davon.

Die neue Frau

Die amerikanische Hausfrau und Mutter Kim Cassedy war ein paar Jahre lang das einzige weibliche Mitglied im angesehenen Washingtoner Club der Gewichtheber. Dann fanden sich weitere Muskelfreundinnen in den USA, bald konnte Mrs. Cassedy die erste Meisterschaft für Frauen im Gewichtheben ausrichten. Ja, gibt es denn gar keine Unterschiede mehr zwischen Männern und Frauen? Doch, doch. Die Gewichtheberinnen schwören nicht nur auf Muskeln, bei den Meisterschaften bewerten sie auch Eleganz und Schönheit, sogar der Grips wird mit Hilfe von Quizfragen bewertet. Also doch ein Unterschied.

Mein Verdacht, die neue Frau werde den schrecklichen Männern immer ähnlicher, findet überall Nahrung. Schon mußten Interessenvereine gegründet werden von Ehemännern, die sich verfolgt und geschlagen fühlen. Ein Männerhaus wurde verlangt! Bekannt geworden ist ein Düsseldorfer Schauspieler, der wegen einer privat erworbenen Kieferklemme drei Tage nicht auftreten konnte. Von einem Kieler Professor erzählt man, daß er seine ehelich ausgerenkte Schulter behandeln lassen mußte. Also doch die neue Frau? Nein, nur das alte Selbstmitleid der Männer.

»Ehemann vergewaltigt!« Diese Schlagzeile machte zwar jeden Mann neugierig, aber die Leser kamen leider nicht auf ihre Kosten, denn es stellte sich heraus, der Kerl wollte nur nicht für das Kind aufkommen, das er gezeugt hatte. Da lag für ihn die Behauptung nahe, er habe es gar nicht zeugen wollen. Daß das Weibchen die Rolle von Gier und Gewalt übernimmt, ist aber bei uns Säugetieren gar nicht vorgesehen. Nehmen wir als Beispiel eine männliche Ratte. Der Rattenkerl sitzt in einem Käfig, der durch einen elektrisch geladenen Zaun von einem anderen Käfig getrennt ist, in den man eine schöne weibliche Ratte läßt. Was passiert? Ja genau, das Männchen wird rasend, versucht in seiner Lust, den elektrischen Zaun zu überqueren, und kennt dabei keine Schmerzen. Eine weibliche Ratte würde das nie tun. So sind wir Säugetiere.

Die moderne Frau ist jedoch schon ein bißchen weiter. In Köln, wo zu Messezeiten so manche Geschäftsfrau anreist, gibt es offenbar einen Markt für männliche Begleiter, die gegen gutes Honorar zu jeder gängigen Intimität bereit sind. Einen ehemaligen Kameramann des Fernsehens, der so eine Agentur aufgemacht hat, habe ich mal in einer Talkshow ausgefragt. »Die heutige Frau mag es durchaus«, sagte er, »sich mit einem attraktiven Kerl blicken zu lassen, auch schätzt sie das kribblige Gefühl, daß er vertraglich zu jeder sexuellen Leistung verpflichtet ist. Aber die Damen sind, bevor es zum Äußersten kommt, doch viel wählerischer als die Männer.«

Als in Los Angeles das Striplokal »Chippendales« eröffnet wurde, standen bald ungezählte Frauen stundenlang für Karten an. Ja, Frauen! Denn in diesem Lokal ziehen sich Männer aus. Tänzer Bruce war über die Begeisterung seiner Zuschauerinnen verwundert: »Sie fassen dich ständig am ganzen Körper an und versuchen, dir Geldscheine in den Minislip zu stecken.«

Also doch kein Unterschied mehr zwischen Mann und Frau? Doch, doch, wie Debbie van Horn, die eine andere Stripteaseshow produziert, feststellte: »Frauen wollen Männer sehen, mit denen sie sich auch gern unterhalten würden.« Unterhalten! Wie ich immer sage, Frauen sind doch die besseren Menschen.

Mückentränke

Der hohe Summton zeigt unverkennbar, was für ein feindlicher Flieger sich da genähert hat. Eine Gegenwehr scheint aussichtslos. Es ist tiefe Nacht. Ich liege, vom Fluggeräusch hellwach geworden, im Bett und denke nur eins: Warum muß auch das Fenster offenstehen? Nun ist der Plagegeist da, und ich habe keine Hoffnung, ihm zu entgehen. Ein Mückenstich erwartet mich. Da reißt der hohe, surrende Ton ab. Wahrscheinlich ist das Tier jetzt in meinem Gesicht gelandet.

Ich schlage mich auf die Backe, aber mir wird in dem Augenblick auch klar, wie hilflos meine Versuche sind. Eine Mücke weiß so sanft zu landen, daß keine Nervenzelle meiner Haut es dem Gehirn melden kann. Die Mücke beißt auch nicht so grob zu wie ihre Verwandte, die garstige Stechfliege. Nein, sie sticht ihr feines Bohrgerät in die Haut, vorsichtiger als die sanfteste Ärztin.

Ist die Bohrung niedergebracht, so zeigt sich erst, welches Wunderwerk in diesem Gerät steckt. Zwei Rohre sind es: Mit dem einen spritzt die Mücke eine Flüssigkeit ein, die die Blutgerinnung verhindert, mit dem anderen Rohr saugt sie das Blut an. Wird sie dabei gestört, so packt sie sofort ihre Gerätschaften wieder ein und fliegt von dannen. Konnte sie sich aber satt trinken, so hat sie doch keine große Menge gezapft. Zum verdienten Blutspender und Freund des Naturhaushaltes werde ich, derweil dies Wunder der Natur sich vollzieht, noch nicht. Und dabei ist es doch der neue Trend, die Mücken zu nähren, damit die Vögel was zu fressen haben.

Unangenehm wirkt nur das Mittel gegen die Blutgerinnung, das anschließend den Juckreiz verursacht. Aber auch diesen Nebeneffekt hat die Mücke so kalkuliert, daß ich jetzt noch nichts merke. Der Reiz tritt erst zwei Minuten nach Arbeitsbeginn auf, und die ganze Saugerei ist planmäßig nach anderthalb Minuten abgeschlossen.

So liege ich also, halte meinen Kopf ruhig, lausche, höre kein Fluggeräusch mehr und versuche vergeblich, irgendeinen Schmerz zu spüren. Ich könnte mir jetzt durchs Gesicht fahren, aber wer weiß, wie blutig das würde. Darum lasse ich bereitwillig die junge Mutter saugen. Ja, um eine junge Mutter handelt es sich. Sie ist bereits befruchtet, trägt ein paar hundert Eier in sich und braucht, um sie ganz zu entwickeln, nur noch diese Blutspende, die sie sich heute nacht leider ausgerechnet von mir erbittet. Kann man einer werdenden Mutter diesen Wunsch abschlagen? Ich spiele Mückentränke.

Jetzt wieder dieser helle Summton, der schnell schwächer und tiefer wird. Die Dame hat ihren Raubzug beendet, schwirrt ab. Sie bringt ihre Blutfracht in Sicherheit. Dieser Fluglärm, sosehr er nach Entwarnung klingt, hat allerdings nicht ganz die erotisierende Wirkung auf mich wie auf die männlichen Mücken. Die nämlich pflegen in lauen Abendstunden zu Hunderten zu tanzen, bis sie merken, daß aus dem Nachbarschwarm der jungen Mädchen ein einziges Tier ihren Junggesellenschwarm durchfliegt. Das Weibchen erkennen sie am tieferen Flugton. Der elektrisiert sie. Schon stürzen sich die Kerle auf die Jungfer – und einer gewinnt eben. Die Männchen sind nur zur Befruchtung da, stechen können sie nicht. Wozu auch.

Die Geschwängerte aber muß sich Blut suchen für den Kreislauf der Natur. Sie produziert ja auch die Nahrung für die jungen Singvögel. Und sammelt meine Spende dafür so elegant. Darum weiß ich gar nicht, warum man immer von der »gemeinen Stechmücke« redet.

Ich stelle mich (aus)!

Die Dämmerung war hereingebrochen, der Zug hielt noch vor dem Bahnhof, ich sah durch das Abteilfenster auf eine mächtige Häuserwand, fünf Stockwerke, nur Fenster, fast alle erleuchtet. Donnerwetter, dachte ich, das ist ja ein riesiges Einrichtungshaus, nur Schaufenster, die gut möblierte Zimmer feilboten. Nein, da bewegten sich Menschen. Das waren keine Ausstellungsräume, das waren Wohnungen. Ich rieb mir die Augen: »Ja, ich bin in Holland! Gleich sollen wir in Rotterdam einfahren.« Daß man in den Niederlanden ist, merkt man offenbar schon daran, daß die Leute keine Vorhänge kennen. Mein holländischer Gastgeber bestätigte das. Als ich aber anfing, diese freundliche Offenheit, dieses »Ich stelle mich«, zu loben und unsere deutsche Rollo-runter-Mentalität dagegenzuhalten, schüttelte er den Kopf. »Bei uns in Holland stellt man sich nicht, man stellt sich aus«, sagte er, »es sind wirklich Schaufenster in dem Sinn, daß man sich zeigen will.«

Ich war enttäuscht. Aber dann fiel mir ein, wie mein Vater, der lange in Holland gelebt hat, mir manchmal erzählte, dort habe man Obstschalen samt üppigen Früchten kaufen können, alles aus Pappmaché; hohle Buchrücken meterweise und Prunkmöbel, auf die sich niemand setzen durfte. Alles für die lieben Nachbarn und die Vorübergehenden.

Seit meiner Reise nach Rotterdam fällt mir auf, daß auch bei uns die Gewohnheit zunimmt, abends den Mitmenschen Einblick zu gewähren. Tagsüber fehlen jetzt auch meist die Tüllgardinen, während man doch vor Jahren, hatte man diese Fummel nicht vorm Fenster, rausgeklingelt wurde von Leuten, die gern diese offenbar leerstehende Wohnung mieten wollten. Heute ist das anders. Selbst in den engen Straßen der alten Stadtteile, wo es keine Vorgärten gibt und man nah an den Fenstern der Erdgeschoßwohnungen vorbeigeht, kann man im Dunkeln stehenbleiben und so manchen Studenten über den Büchern oder auch ein Familienidyll ums Kinderbettchen sehen.

Im letzten Herbst saßen meine Frau und ich in unserer Wohnküche, es ging schon auf Mitternacht zu, mein Blick fiel nach draußen. Vorhänge gibt es natürlich bei uns ebenfalls nicht mehr, und das heißt, man kann auch leichter herausgucken, was von Vorteil sein kann. Schließlich unterbrach ich meine Frau mitten im Gespräch. »Es sieht so aus, als wär' die junge Dame da ganz nackt!« sagte ich so leise, als könnte ich das scheue Wild verschrecken. Meine Frau trennte sich nur ungern von ihrem Thema, aber was soll man reden mit einem völlig abgelenkten Mann?

Nun betrachteten wir also das Schauspiel gemeinsam. Uns gegenüber, ebenfalls im ersten Stock, war ein blutjunges, ebenso braungebranntes wie völlig unbekleidetes Wesen damit beschäftigt, in der romantisch erleuchteten Küche einen Happen zuzubereiten. Die bühnenreife Darbietung eines erotischen Theaters, offenbar die Spätvorstellung für Anspruchsvolle. Die Jungfer hüpfte noch ein Weilchen anmutig umher und verschwand dann mit vollem Tablett in den hinteren Gemächern. Sicherlich bei ihrem Liebsten.

Meine Frau und ich waren von dem graziösen Anblick sehr angetan. Doch seitdem bin ich ins Grübeln verfallen: War das nun die liebe Unschuld derer, die nichts zu verbergen haben, oder am Ende doch eine holländische Ausstellung? Nein, ich habe genau hingesehen, diese Früchte waren nicht aus Pappmaché.

Alles kommt wieder

Der neueste Trend führt schon seit Jahren in die Vergangenheit. Die deutschen Schneidereien sind tief befriedigt darüber, daß immer mehr junge Herren den Weg zum Fachmann finden, um sich einen Anzug bauen zu lassen. Es wird wieder Maß genommen. Auch Schuhmacher haben Konjunktur, nicht nur in Budapest, wo es seit je die feinsten Werkstätten gibt. Die Hersteller von Hüten, diesem altmodischen Zubehör, das offenbar nur zum Grüßen wirklich geeignet ist, reiben sich ebenfalls die Hände. Die Zeit der Dürre liegt hinter ihnen.

Der echte Kolbenfüllhalter erlebt eine Renaissance. Angefangen hat dieser Zug der Zeit in den USA, aber auch bei uns können die Fabrikanten mit schöner Zufriedenheit feststellen: »Ein solcher Füller gilt wieder als Zeichen von Luxus und Individualität.« Der Mensch von Welt will heute seine paar trockenen Worte doch wenigstens flüssig hinschreiben.

Die deutsche Frau findet erneut Gefallen daran, sich zur Begrüßung die Hand küssen zu lassen, wie Umfragen ergeben. Nur zeigt sich hier schmerzlich, daß ganze Generationen von Jungkavalieren ohne jene Übung sind, die allein ihnen den Mut dazu geben könnte. Da führt kein Weg an der Tanzstunde vorbei, diesem Benimmschuppen, über den sich zwanzig Jahre lang die jungen Leute schiefgelacht haben. Nun sind die Tanzlehrer wieder oben auf. Und sie drillen nicht nur mit Vorliebe die Tänze der Belle Époque, nein, sie beschließen auch jährlich auf ihren Fachtagungen neue Anstandsregeln, darunter als wichtigste: Jeder Mensch ist verpflichtet, regelmäßig eine Tanzschule aufzusuchen.

Der Hang zum Luxus der guten alten Zeit ist nur die eine Seite. Gewiß, die Geburtsanzeige auf Bütten in Stahlstichkapitälchen und die große Fahrt zur letzten Ruhe in der vierspännigen schwarzen Kutsche. Es ist alles wieder da. Aber das ist nur die eine Seite.

Die schlichten, eher ländlichen Sitten der alten Zeit stehen nicht weniger in Blüte. Gilt es etwas mitzubringen, so sticht die selbstgemachte Marmelade jeden Kunstband aus, den andere überreichen möchten. Man trägt Baumwolle, und mindestens die Strickweste sollte aus einer Wolle sein, die irgend jemand aus der Familie selbst gesponnen hat. Die Scheibengardinen sind in Omas Stil gehäkelt, und an der Wand ist schon kein Platz mehr für weitere Werke der eigenen Hand: Gewebtes, Gesticktes, Gemaltes und Getöpfertes allenthalben.

Die Deutschen kaufen jährlich doppelt so viele Fahrräder wie Autos. Tritt man seinen Drahtesel durch Wind und Wetter, wird man nicht mehr als armer Schlucker, sondern wie ein stilles Vorbild beäugt. Wahrscheinlich einer, sagen sich die Leute, der seine Milch wieder in Flaschen kauft, der Fertiggerichte verabscheut und zum Buch greift, wenn er unterhalten sein will. So wären wir also wieder im vorigen Jahrhundert angelangt.

Drei Wünsche an die Zukunft habe ich dennoch. Zufrieden wäre ich erst, wenn das Telefonieren aus der Mode käme und man statt dessen Besuche machte; wenn das Fernsehen zurückstünde und man statt dessen einander vorlesen oder miteinander reden würde; und wenn das Fotografieren seltener würde und man sich statt dessen in die Landschaft setzte und den Skizzenblock herausholte.

Ich bin ein Technikmuffel. Ja, Sie etwa nicht?

Neues Dorf, ganz alt

Auf dem Lande ist man der Zeit ein wenig hinterher, oder sagen wir es lieber etwas netter: Man wartet im Dorf immer zehn Jahre, um zu sehen, wie sich die neue Mode in der Stadt denn so macht. Und nun ist es soweit, Nostalgie hält Einzug auf dem Lande. Plattenwege aus Beton haben ausgedient. Verbundsteine? Weg damit! Die schaufenstergroße Scheibe fürs Wohnzimmer, ein Schandfleck. Der Windfang vor der Haustür, vor Jahren aus farbigen Glasbausteinen oder gewellten Kunststoffplatten errichtet, soll ersetzt werden; diesmal wird es Naturholz sein mit einem Ziegeldach.

Auf meinem Spaziergang durchs Heidedorf komme ich an einem Neubau vorbei. Natursteine als Pflaster! Ja wirklich, runde Feldsteine, dick und lila-braun, frisch im hellgelben Sand verlegt, pflastern den Weg, der von der Straße zum Hauseingang und zur Garage führt. Das kann doch, denke ich mir, nur ein verträumter Städter gemacht haben, der sich hier am Ortsrand niedergelassen hat. Stimmt aber nicht. Es ist ein junges Paar aus dem Dorf, das sich dieses Haus errichtet hat, und es ist sogar schon der zweite Weg, der hier mit buckligen Steinen vom Felde nach Altväterart neu verlegt worden ist.

Natürlich hat das Haus ein hohes, steiles Dach, mit echten Tonziegeln gedeckt, und die Fenster zeigen viele Sprossen. Das ist die neue Gemütlichkeit. Das war doch zwanzig Jahre lang anders. Da hieß »Unser Dorf soll schöner werden« soviel wie: Es soll städtischer werden, modern, hygienisch, autogerecht und kahl. Überall Asphalt, damit es sauber aussah. Die Durchgangsstraße wurde begradigt, die Dorflinde wich einer übersichtlichen Kreuzung, Beleuchtung mußte her, am besten Peitschenmasten. Das alte Spritzenhaus der Freiwilligen Feuerwehr wich einem Neubau aus Beton, das alte Backhaus, das der Dorfgemeinschaft gedient hatte, einer Autowaschanlage.

Auch mit dem Bauerngarten war es vorbei. Eichen wurden im Vorgarten abgeholzt und durch Edeltannen und Rhododendron ersetzt. Der Lattenzaun wurde durch ein Drahtgitter oder den städtischen Jägerzaun vertrieben. Auf den Beeten lag kein Mist mehr, sondern Torfmull, Waschbetonplatten strahlten Sauberkeit aus. Das Ziegeldach der Scheune – ganz früher war es ein Strohdach – wurde mit Asbestplatten erneuert, die große Einfahrt zum Bauernhaus zugemauert, das Fachwerk verdeckt, verschalt mit Verblendklinkern.

Dann kamen die Städter und suchten, was sie bei sich selbst inzwischen vermißten, nämlich die heile Welt. Sie fragten nach der Dorflinde, nach dem alten Brunnen, nach dem Strohdach und dem Fachwerk. Sie suchten die Wiese mit den Gänsen, den Obstgarten hinter dem Haus, die Stockrosen, den Lattenzaun und den krähenden Hahn. Alles war wegrationalisiert.

Aber es kommt wieder. Es mußte nur einer der Jungbauern anfangen mit dem Restaurieren der alten Pracht. Dann sah man auch bei Neubauten wieder das hohe Format statt der Breitwandfenster und sogar verträumte Gauben statt Dachfenstern. Die Haustüren waren wieder geschwungen und verziert, Messing leuchtete statt eloxiertem Aluminium. Und nun auch noch die dicken, lila-braunen Feldsteine als Pflaster, verlegt in hellem Heidesand. Wo allerdings ein Strohdach herübergrüßt, da weiß man, das muß wirklich ein reicher Städter sein, denn nur der kann die Feuerversicherung dafür bezahlen.

Schein und Sein

Gäste, ferngesehen

Es ist gerade richtig Feierabend, beste Fernsehzeit, da klingelt es. Was tun Sie? Einige machen gar nicht erst auf, denn es könnten ja die besten Freunde sein, die einfach mal unangemeldet auf einen Sprung vorbeikommen. Aber das finde ich unvorsichtig, es könnte ja auch der Bevollmächtigte der Lottogesellschaft sein. Sie öffnen also doch die Tür. Aus dem Wohnzimmer hinter Ihnen dröhnt der Fernsehton so raumklanghaft, daß im Treppenhaus sowieso bekannt sein müßte, womit Sie beschäftigt sind.

Und wen sehen Sie? Nehmen wir den schlimmsten Fall an: Da stehen wirklich diese netten Leute, denen Sie neulich mal gesagt haben: »Kommt doch einfach mal vorbei, wir würden uns freuen!« Blitzartig wird Ihnen die Lage klar, in die Sie sich gebracht haben, und daß es jetzt nur noch genau drei Möglichkeiten für Sie gibt.

Da ist erstens die Überrumpelung. »Wunderbar«, rufen Sie, »ich finde auch, daß Fernsehen erst zu mehreren richtig Spaß macht!« Und schon bitten Sie dieses taktlose Überfallkommando höflich in Ihr ganz persönliches Heim. So vergrößert sich die Fernsehgemeinde. Geteilte Freude ist doppelte Freude. Widerspruch wird nicht geduldet.

Sie können zweitens ein bißchen mogeln. »Unser Videoaufzeichner ist leider kaputt«, sagen Sie, »aber kommt nur rein, ihr stört überhaupt nicht, wenn euch das Fernsehen nicht stört.« Dieser Kompromiß wird gern angenommen. Er besteht im wesentlichen darin, daß Sie den Gästen erlauben, sich leise miteinander zu unterhalten. Ab und zu nicken Sie mal zu denen hin oder lassen sich auch von ihnen ansprechen. Anteilnahme zeigen, ohne zuzuhören, das können Sie ja längst.

Die dritte Lösung möchte ich die Pantomime nennen.

Schon an der Wohnungstür haben Sie Ihren ersten Auftritt. Mit ausgebreiteten Armen erweisen Sie ein herzliches Willkommen, aber Sie bleiben stumm und lauschen einzig und allein den erregenden Fernsehdialogen im Hintergrund. Jeder wird sofort erkennen, daß Sie da als der klassische Tragöde stehen, zwischen Pflicht und Neigung hin und her gerissen. Aber Fernsehen ist eben Pflicht.

Man kann solch altmodische Leute, die einfach mal vorbeikommen, also offenbar unschädlich machen, ohne sie direkt auszugrenzen. Integration ist auch hier das Motto.

Allerdings gibt es unter hereingeschneiten Freunden auch einige, die glauben, kaum sei um Mitternacht das Fernsehprogramm zu Ende, beginne das persönliche Gespräch. Dabei sind doch die Flaschen längst geleert, die Reste des Knabberzeugs auf dem Teppichboden verstreut; auch mit dem Schummerlicht ist es vorbei, die Deckenleuchte brennt unbarmherzig und vertreibt die Stimmung, nur leider nicht die Gäste. Gähnend räumen Sie die Aschenbecher weg und öffnen die Fenster. Vergeblich. Ihre besten Freunde glauben hartnäckig, nun seien sie dran.

Hier handelt es sich um ein Problem, dem selbst ich ratlos gegenüberstehe. »Sollten wir uns«, könnten Sie die Sesselkleber fragen, »etwa unterhalten, nachdem wir so gute Unterhaltung gesehen haben?« Ein schlagendes Argument. Nützt auch das nichts, sagen Sie am besten: »Kommt doch mal wieder vorbei, dann machen wir einen richtigen Gesprächsabend – und drehen das Fernsehen etwas leiser.«

Kaum haben Sie das versprochen, werden die Gäste so spontan aufbrechen, wie sie gekommen sind. Aus lauter Vorfreude.

Wie im Kino

Wissen Sie, wie Kino geht? Natürlich wissen Sie das, das geht nämlich so: Da sieht man eine Frau, die schwer an zwei riesigen Koffern schleppt. Wirklich, sie geht gebeugt, sie schwankt. Aber es wäre eben doch nicht Kino, wenn da alles echt wäre. Was stimmt denn nicht? Die großen Koffer baumeln in ihren Händen. Und warum baumeln sie? Weil sie leer sind. So ist das im Film. Der Regisseur wollte der Schauspielerin das Schleppen ersparen, aber den Zuschauern erspart er nichts.

So leer sind freilich nicht alle Koffer. Manchmal wird gezeigt, wie sie gepackt werden. Man weiß, wie das im Kino geschieht, nämlich in Windeseile. Alles Nötige, es ist erstaunlicherweise gleich zur Hand, wird nur so hineingeworfen. Frau verläßt Ehemann, die Utensilien sind in zwanzig Sekunden im Koffer. Ich will nicht übertreiben, in fünfzehn. Derweil zankt sie sich auch noch, trotz aller Ablenkung, geistvoll mit ihm herum.

Und in der Szene vorher, als sich das Ehepaar zerstritten hat? Ja, das war im Bett. Beide hatten soeben die Lampen gelöscht. Aber das ist das Wundersame im Kino, es wird nie ganz dunkel. Auf unerklärliche Weise ist im Schlafzimmer noch alles zu sehen. Wenn du denkst, es geht nicht mehr, kommt von irgendwo ein Lichtlein her, und wenn es die Straßenlaterne ist. Da will sich der Regisseur nicht lumpen lassen, wenn eine nächtliche Szene wirklich mal draußen spielt. Dann ist immer zugleich Vollmond. Dessen Silberlicht stellt sich bei genauerem Hinsehen meist als eine stark unterbelichtete Aufnahme bei Sonnenschein heraus. Sonst wäre es ja auch nicht Kino, nein, es würde uns was fehlen, ginge es mal zu wie im richtigen Leben.

Da wir gerade von draußen sprechen: Wenn es mal regnet, dann schüttet es wie aus Kannen. Auch das ist dem Einsichtigen nicht ganz unerklärlich. Nieselregen läßt sich nicht so gut künstlich herstellen, und deswegen muß es pladdern wie aus dem Wasserschlauch. Aus dem kommt der Regen natürlich auch. Nein, nicht natürlich! Künstlich! Natürlich künstlich! Aber wirklich.

Und wie sieht im Kino ein Mensch aus, der soeben auf allen vieren durch den Dreck gekrochen ist? Er hat nur ein paar tiefschwarze Flecke ins sonst saubere Gesicht gemalt bekommen. Müssen wir gar hören, daß sich der Gute schon drei Wochen ohne Essen durch die Wüste geschleppt hat, so dürfen wir uns mit ihm freuen, wie rosig und fett sein Fleisch noch unter der zerrissenen Kleidung schimmert. Schäbiger Kleidung fehlt immer die Patina, ebensowenig können die Filmdekorateure in einem Zimmer die Unordnung hinkriegen, die sich im Leben von selbst einstellt.

Bewundern muß man aber die Allmacht der Helden. Zu den kleinen Unannehmlichkeiten des Alltags haben sie einfach keine Zeit. Telefonnummern brauchen sie nie nachzuschlagen, ebensowenig die nächste Flugverbindung. Taxis sind sofort zur Stelle. Fahren die Helden mit dem eigenen Wagen, so finden sie gleich einen Parkplatz genau vor dem Portal. So etwas gelingt uns Sterblichen nie.

Nur wenn ein Darsteller das Zimmer betritt, in dem die Leiche liegt, die wir längst gesehen haben, muß er erst mal lange umhergehen, bis er furchtbar erschrecken darf. Gleich aber läßt er den Alltag wieder unter sich und ist unerhört schlagfertig wie immer.

Die Auflösung all dieser Rätsel liefert erst der Nachspann. In dem heißt es: Ähnlichkeiten mit lebenden Personen sind rein zufällig.

Unsterblichkeit

Für einen jungen Menschen ohne Dachschaden gibt es zwei Lebensziele: Er will prominent und reich werden. Das ist nicht ganz unmöglich. Von den Schwarzen in den USA heißt es, für sie sei der einzige Weg aus den Gettos der Jazz oder das Boxen. Auch bei uns empfiehlt es sich für Aufstreber, entweder Popmusiker oder Sportler zu werden. Das ist ein harter, aber nicht aussichtsloser Weg in den Himmel der Prominenz. Wem dieser Weg verschlossen ist, der kann es auch mit Politik versuchen. Es ist erstaunlich, mit wie wenig Begabung man es da zu erheblicher Bekanntheit und solidem Wohlstand bringen kann.

Manche sind allerdings bescheidener. Ist es nicht auch viel liebenswerter, wenn sich ein junger Mensch gar nichts aus Geld macht und sich auf den Wunsch beschränkt, berühmt zu werden? Aber wie anfangen! Er kann sich an einen Teich setzen und dort ununterbrochen sitzen bleiben, mit einer Angel in der Hand, wenigstens ein paar Tage lang. Man kann auch auf einem Bein irgendwo in einer Fußgängerzone stehen bleiben, aber bitte wenigstens zweiunddreißig Stunden lang, sonst ist das kein Rekord, und der eigene schöne Name bleibt weiter unbekannt. Wem nichts anderes einfällt, der kann sich auch für ein paar Tage in einen Glaskäfig zu zwei Dutzend hochgiftigen Schlangen setzen, das war eine Zeitlang sogar Mode und führte dazu, daß die Damen und Herren, die alle aufsehenerregenden Schnapsideen in das Guinness-Buch der Rekorde eintragen, schon richtig ins Schwimmen kamen bei der Frage, wer als Rekordhalter einzutragen wäre.

War es nicht Mike Dickson, der im hessischen Haiger einundsechzig Tage unter fünfundzwanzig Schlangen zugebracht hat? Den Namen hätte man sich merken sollen. Oder doch nicht, denn das Traurige an diesen Rekorden ist, daß sie leider bald überboten werden – und schon ist es vorbei mit der Unsterblichkeit. Zu allem Überfluß haben die Guinness-Wächter sich seit kurzem geweigert, gefährliche Rekorde überhaupt zu verzeichnen. Ja, da ahnt man nicht einmal, ob es sich noch lohnt, in einer Salatschüssel den Ärmelkanal zu überqueren, denn wer weiß, wieviel Spaß die Leute von der Seenotrettung verstehen. Und die Zeitungen der Küstenstädtchen drucken das auch nicht mehr.

Im Rekordbuch der Guinness-Leute werden solche Leistungen leider nur als sogenannte »Quatsch-Rekorde« verzeichnet, aber das stört die energischen Ruhmsucher nicht. Wer wirft den Tischtennisball am weitesten? Wer kann am weitesten spucken, am längsten auf einem Pfahl sitzen oder am ausdauerndsten die Tasten einer Schreibmaschine behämmern – bis man selbst noch behämmerter ist als die Schreibmaschine? Lauter Unsterbliche auf Zeit. Am längsten tippen konnte einmal die Sekretärin Gisela Martin aus Schaumburg-Elgarshausen. Sie hat sofort danach auch noch unendliche Stunden lang vor dem Fernseher mit der Müdigkeit gekämpft, bis auch noch dieser Rekord aufgestellt war. Ich kann es ihr nicht verdenken, daß sie sich gleich doppelt einen Namen machen wollte. – Wie war der noch gleich?

Einmal an den Sternenhimmel der Prominenz geheftet sein, wo selbst die kleinen Lichtlein noch dazu da sind, daß man zu ihnen aufsieht! Einmal aus der Menge der Allzugleichen auftauchen. Am einfachsten gelingt einem das, hier sei es verraten, als Journalist. Da winkt auf die Dauer auch Unbegabten der Glanz der Bekanntheit. Ein wenig Ruhmsucht vorausgesetzt. Das sagt Ihnen der Fachmann.

Schenken im Überfluß

Wir bekommen Besuch. Der Besuch hat etwas mitgebracht und tut damit recht geheimnisvoll. Ich gehe brav auf die Inszenierung ein und frage (mit ein wenig Ungläubigkeit in der Stimme): »Soll das für uns sein?« Kopfnicken. Nun wirke ich überaus gespannt und bin schon im voraus hoch erfreut. Der Besuch läßt sich derweil die Wohnung zeigen, ist aber nicht weniger erwartungsvoll gestimmt als ich, er lauert auf meine Freudenschreie. Ja, er kommt zurück und kann bis zu dem Augenblick, da das Geschenk endlich ausgepackt ist, kaum ruhig bleiben.

Ich bin fest entschlossen, jeder Erwartung gerecht zu werden. Langsam und sorgfältig löse ich die Verpackung, nicht ohne hie und da rumzuraten, worum es sich handeln könnte – und ich weiß, was ich vermeiden muß, nämlich den geheimnisvollen Inhalt zu hoch zu taxieren oder gar richtig zu benennen, was ja heißen würde, die Geschenkidee habe nahegelegen oder sei bei uns alltäglich.

Schließlich habe ich eine etwas sonderbare Schale in Händen, von der ich auf den ersten Blick erkennen kann, daß sie überhaupt nicht zu uns paßt. »Gudrun«, rufe ich, »sieh doch bloß mal, was wir mitgebracht bekommen haben!« Und während die Gerufene mit gut empfundener Überraschung herbeieilt, präge ich mir energisch ein: Wenn wir das nächste Mal bei denen eingeladen sind, dann müssen wir auch unbedingt was mitbringen.

Meine Ahs und Ohs klingen hoffentlich ganz überzeugend. »Ja, so etwas hat uns gerade noch gefehlt«, stelle ich lautstark fest, nicht ohne über den unfreiwilligen Doppelsinn zu stolpern und deshalb hinzuzufügen, Schalen für Obst und Gebäck hätten wir viel zu wenige. Etwas enttäuscht kommt der Hinweis zurück: »Ja, für Obst geht es auch, aber eigentlich ist es eine Blumenschale für Gestecke.« – »Oh«, sage ich bestätigend und gebe auf Befragen zu, das Wort »Ikebana« schon mal – ganz fasziniert, natürlich – gehört zu haben.

»Ja«, sage ich, »jetzt bin ich wirklich ganz beschämt«, und senke die Augen, nicht ohne die Schale dabei weiterhin so lange ausführlich zu würdigen, bis ich erkennen darf: Im lieben Gast keimt die Gewißheit, das Geschenk sei sehr gut angekommen. Nun darf ich aufhören.

Geschenke verbreiten diese kribbelnde Spannung, weil beide Seiten mit ihren Gefühlen hantieren, manchmal am Abgrund kleiner seelischer Katastrophen. Entweder ist das Geschenk viel zu üppig ausgefallen, oder es ist zu knauserig; entweder ist man der einzige, der etwas mitgebracht hat, oder der einzige, der nichts vom Geburtstag der Gastgeberin wußte. Passen tut's nie.

Die Überflußgesellschaft hat sich, hier wird es mit schöner Klarheit deutlich, in eine Überdrußgesellschaft verwandelt. Streiten kann man nur noch darüber, welche Rolle uns verlegener macht, die des Schenkenden, der etwas Passendes finden, oder des Beschenkten, der sich auch noch bedanken muß. Ich habe mich in dieser Frage allerdings ein für allemal festgelegt: Für mich ist Nehmen noch weit unseliger als Geben.

Ein Freund von uns scheint sich in dieser Frage ebenfalls entschieden zu haben. Jedenfalls legt er das, was seine lieben Gäste mitgebracht haben, gleich zur Seite und packt es erst aus, wenn alle gegangen sind. Man hört von ihm nie etwas darüber. Das gilt zwar als kraß unhöflich, erspart aber beiden Seiten eine Menge Streß.

Freizeit, ausgefüllt

Man ist ja aktiv, unerbittlich sogar. Das wird auch kontrolliert, klar. »Na, Herr Hirsch, was haben Sie am Wochenende gemacht?« Diese Frage hatte ich befürchtet, sie mußte kommen nach diesen sonnigen Tagen. »Oh, nur so, nichts weiter«, versuchte ich mich herauszureden, aber soviel Bescheidenheit wollte mein Gegenüber nicht zulassen. »Nichts unternommen, bei dem schönen Wetter?« – »Nein, nichts.«

Ich weiß, ich stehe damit jämmerlich da, ja, ich stehe außerhalb der Gesellschaft. Man hat etwas vor und anschließend etwas vorzuweisen. Die Freizeit will gestaltet sein, dazu hat man sie. Autobahn langrutschen mit Freunden, nur mal so, zweieinhalbtausend Kilometer, da kann man nachher was erzählen, wenn man den Kollegen wieder in die Hände fällt. Oder mit der Familie in den Freizeitpark Märchenland. Wenigstens das Sportabzeichen machen, natürlich zum vierzehntenmal. Nein – bei mir: nichts.

Früher gab es mal das Wort »Muße«, heute weiß kaum einer mehr, wie es geschrieben wird, schon gar nicht, wie man das macht. Frage ich den älteren, ehemaligen Kollegen, wie denn der frisch erreichte Ruhestand schmecke, so nimmt er innerlich Haltung an und sagt mit Tiefstrahlern in den Augen und eine Spur zu laut: »Ich habe so viel vor, ich komme kaum noch hinterher!«

Zwei Schulkinder, beide aus der zweiten Klasse, sind nach Hause geradelt, vor Sylvies Haus halten sie an. »Du, Timmi«, sagt Sylvie, »können wir morgen nachmittag zusammen spielen?« Timmi überlegt. »Nein, da hab' ich Klavierunterricht.« – »Und übermorgen?« – »Mal überlegen, nein, da müssen wir, glaube ich, zu meiner Omi.« – »Und dann, überübermorgen?« – »Nee, da ist Freitag, da hab' ich Sport, weißt du.« – »Und dann?« – »Dann ist Wochenende, da fahren wir immer weg.« – »Und dann?« – »Ich weiß nicht, muß ich mal auf meinen Terminkalender gucken.«

Der ausgebuchte Timmi setzt Maßstäbe für unsereinen. Man kann da kaum zurückstehen. Aber ich will nicht zuviel behaupten. Es ist dem Menschen im besten Alter auch durchaus erlaubt, mal ein Buch zu lesen, nur sollte er bedenken, daß man dabei zugleich Musik hören, daß man sich außerdem mit den Familienmitgliedern ein wenig unterhalten kann – muß ja auch mal sein – und daß man dazu am besten in der Sonne sitzt, um auch das noch mitzunehmen. Derweil trinkt man was Erfrischendes und streichelt die Katze. Sonst ist man nicht ausgefüllt.

Freizeit als Leistungssport, einige entziehen sich dem. Peter Scholl-Latour, vom Fragebogen der ›Frankfurter Allgemeinen‹ aufgefordert, seine »Lieblingsbeschäftigung« zu benennen, schrieb »Schlafen«. Andere haben sich dazu bekannt, daß Dösen und Trödeln ihr Schönstes ist, auch Nichtstun soll schon vorgekommen sein. Das läßt mich hoffen.

Ganz einfach ist das Nichtstun jedoch nicht, die meisten können nur abschalten, wenn sie was anderes einschalten. Für diese modernen Streßtypen gibt es ein Videoband zu kaufen, das bis zu vier Stunden nur eins zeigt: prasselndes Lagerfeuer. Sicher, ein etwas handlungsarmer Streifen, aber sehr beruhigend. Man kann auch Kassetten einlegen, die stundenlang den Blick auf Goldfische im Aquarium freigeben. Das konsequente Hinstieren nennt sich »aktives Nichtstun«. Passives wäre mir noch lieber.

Langschläfer

In unserer liberalen Gesellschaft schont man seit einiger Zeit die Dicken und sagt laut: »Sie können nichts dafür, und es ist nicht unmoralisch, zuviel zu wiegen.« Aber was habe ich (ja, ich!) von dieser Großzügigkeit? Ich bin nicht dick, ich leide an einer anderen Völlerei: Ich schlafe viel, wahrscheinlich zu viel.

Gut, wir haben es besser, unsereins kann seine Unmäßigkeit besser verbergen als diese Eßkünstler, man trägt die Folgen nicht so deutlich mit sich herum. Aber wir Langschläfer sind dennoch genauso empfindlich und leicht gekränkt, wenn man uns auf unsere Schwäche anspricht, wie die Dicken, denen man heute alles nachsieht. Und wer sieht mir was nach? Wer morgens sehr früh aufsteht, gilt als rechtschaffen, wer liegen bleibt als Faultier – das sind Tiere, die sich nur im Zeitlupentempo bewegen und bis zu zwanzig Stunden am Tag schlafen. Wer möchte schon ein »Faultier« genannt werden?

Kommt man zu spät, höhnen selbst die guten Freunde: »Da hättest du wohl früher aufstehen müssen!« Als nicht ganz so verwerflich wie das lange Ausschlafen gilt das frühe Zubettgehen; das wird noch geduldet, aber eigentlich auch nur dann, wenn man versichern kann, man müsse am nächsten Morgen um fünf Uhr aufstehen. Sonst kommt unweigerlich die Frage: »Sagen Sie mal, wieviel Stunden Schlaf brauchen Sie eigentlich?« Wobei die Antwort, wie immer sie ausfällt, mit einem »Donnerwetter« quittiert wird.

Diese Frage ist uns Schläfern ebenso zuwider wie den Dicken die Frage nach dem Gewicht, nur mit dem Unterschied, daß die Dicken, man ist ja modern und taktvoll, nicht mehr nach ihrem Gewicht gefragt werden, wir Bettfreunde aber oft und gern nach unserer täglichen Schlafmenge. Ich schreibe »täglichen«, aber betone, um Mißverständnisse zu vermeiden, ich schlafe nicht täglich acht oder neun Stunden, sondern nächtlich. – Am Tage schlafe selbst ich nicht.

Die Kurzschläfer sind platzestolz auf ihre Tüchtigkeit. Selbst Menschen, die nachts – beim besten Willen – nicht schlafen können, berichten mit einer Art Stolz von ihrem Leiden, wie der Philosoph Bertrand Russell einmal spöttisch festgestellt hat. In unserer Leistungsgesellschaft gilt der als schick, der eine Unruhe in sich ticken fühlt, die sich kaum abstellen läßt. Sein träges Gegenstück hingegen, der Schlafsüchtige, verbirgt verschämt seine Abartigkeit, immer gewärtig, daß ihm »Wer schläft, der sündigt nicht!« nachgerufen wird, oder ein hochmütiges »Den Seinen gibt's der Herr im Schlafe«.

Doch – das tut der Herr! Wer kennt nicht die Geschichte von dem Mathematiker, der über einem unlösbaren Problem einschlief und am Morgen die Lösung hatte? Hingegen kann es Schlafasketen passieren, daß sie ihr Glück ruinieren, wie es jenem Amerikaner erging, der nur drei Stunden zu schlafen pflegte. Als seine Frau merkte, daß ihre gemeinsame

Tochter auch mit so wenig Schlaf auskam, ließ sie sich scheiden.

Das Ende aller Minderwertigkeitsgefühle aber beschert uns Träumern erst der Psychiater Ernest Hartmann von der Tufts-Universität in den USA. Er hat Beweise dafür gesammelt, daß Menschen, die verblüffende Einfälle haben und scharf analysieren können, besonders viel Schlaf brauchen. Jeder meiner Leser wird sich denken können, daß ich, als ich diesen Satz gelesen hatte, ihn vor lauter Glück immerzu vor mich hinsprechen mußte. Bis ich, selbst darüber, allmählich einschlief.

Wie es früher war

Es gibt Fragen, die jeden Historiker in Verlegenheit setzen. »Was haben die Kinder gegessen, bevor die Pommes frites erfunden wurden?« Die Antwort ist unbekannt. Und sollten unsere Kleinen diese berechtigte Frage gar an ihren Vater richten, so können sie sich gleich auf eine längere Gedankenpause einstellen. (»Siehste, Vati, weißte nicht!«)

Zusatzfrage: »Womit haben die Kinder ihr Essen gewürzt, bevor es Ketchup gab?« Gleiches Ergebnis. Die Antwort ist bisher nicht erbracht, das Gebiet gilt als unerforscht. »Was haben Kinder getrunken, bevor es Cola und Limo gab?« Wahrscheinlich haben sie gar nichts getrunken. Aber das kann eigentlich auch nicht sein.

»Worüber haben die Männer früher gesprochen, als es noch keinen Fußball gab?« Offen gestanden, es ist meine Vermutung, daß sie damals gar nichts zu reden hatten und ihre Zuflucht zu reinem Tratsch und Klatsch nehmen mußten. Es sei denn, sie erzählten sich zum vierunddreißigsten Mal die alten Kriegserlebnisse und die noch älteren Schnurren.

Es gibt eben Dinge, die man sich aus unserem Leben nicht mehr wegdenken kann. Das ist so wörtlich zu nehmen, daß das Neue uns gar nicht bewußt ist und nur Kindermund uns auf die Frage bringt, wie das wohl früher gewesen sein könnte. Womit sind die Leute sonntags ins Grüne gefahren, als es noch keine Autos gab? Mit dem Rad? Oder mit der Eisenbahn? Mit der Kutsche? Oder gar nicht? Wahrscheinlich gar nicht, denn fast alle Menschen lebten ja noch im Grünen. Wozu da ins Grüne fahren?

Mit der Behauptung, diese Dinge seien schwer zu erforschen, habe ich vielleicht doch etwas übertrieben. Aber ganz sicher unbeantwortet ist die Frage, was die Menschen gemacht haben, bevor es Fernsehen gab. Haben sie nach Feierabend gar nichts getan? Haben sie Löcher in die Luft geguckt?

Ältere Menschen erinnern sich noch dunkel, daß in den fünfziger Jahren der Hörfunk auch abends eine gewisse Rolle gespielt haben soll. Noch ältere Menschen wissen, daß in den zwanziger Jahren das Kino am Sonnabend nicht ganz ohne Bedeutung war. Aber was, um Himmels willen, haben die Menschen an den anderen Tagen der Woche gemacht? Sie haben wohl ein Kissen auf die Fensterbank gelegt und gewartet, ob ein Pferdefuhrwerk vorbeikam. Oder ob man mithören konnte, wie sich die Nachbarn mal wieder stritten.

Vielleicht haben sich die Menschen auch Geschichten erzählt, haben zusammen Lieder gesungen und sind dann sehr früh ins Bett gegangen. Was heute vom verlockenden Fernsehen gewöhnlich verhindert wird.

Und davor, ich meine, bevor sie ins Bett sanken? Da haben sie wohl nichts Besseres zu tun gewußt, als sich vor ihre Hütte zu setzen und zuzusehen, wie die Sonne unter- und der Mond allmählich aufging. Oder sie waren einfach gezwungen, sich mit ihren Nachbarn und Verwandten zu unterhalten, wobei die Spannung, die uns heute aus dem Medium künstlich zuströmt, ebenfalls geliefert wurde – als die knisternde Spannung zwischen Menschen, die aufeinander angewiesen waren, ohne sich leiden zu können.

Sie mußten sich zur Unterhaltung was erzählen. Selbstgemachte Unterhaltung! Wie anstrengend mußte das sein, als man sich, nur um Zerstreuung zu finden, erst mal zu sammeln hatte. Sonst drohte als harte Strafe die Langeweile. Und doch haben die Menschen das damals überlebt. Nur wie?

Der Mond als Mattscheibe

Vor einiger Zeit hat sich der Mond verfinstert, ein Naturschauspiel am Himmel, auf das man durch die Medien lange vorbereitet war. Irgendwie unpassend schien nur das genaue Timing, es war schließlich beste Fernsehzeit, so zwischen acht und neun Uhr abends, als die Vorführung begann. Nachbarn von uns, die mit ihren Kindern das Thema Mondfinsternis astronomisch korrekt, nehme ich an, durchgespielt hatten, dann aber, kurz nach acht, zu einer Gesellgkeit aufbrechen mußten, riefen ihren Kindern noch zu: »Und vergeßt nicht, mal nach der Mondfinsternis zu gucken!« Worauf die Siebenjährige zurückfragte: »In welchem Programm läuft die denn?«

Wo gibt es schon was anzusehen, außer im Fernsehen? Dennoch habe ich zur fraglichen Zeit nach draußen geblickt, aber irgendwie war der Empfang doch gestört. Erst mußte ich mir das richtige Fenster unserer Wohnung suchen, dann waren Zweige davor, und schließlich dachte ich, es hätte das bekannte Schneetreiben eingesetzt, was einem jedes Bild verdirbt, aber es waren nur Wolken.

So mit der Familie in die Betrachtung des Mondes versunken, überkam mich der Gedanke, wenn schon alle Menschen jetzt aus dem Fenster sähen, könnte man das ganze Ereignis doch auch gleich im Fernsehen übertragen. Dann könnte ich jetzt, dachte ich, bequem sitzen und bekäme die Einzelheiten besser mit. Während wir alle in den Himmel starrten, vermißte ich zudem die freundliche Begleitung durch einen Fachmann, der uns das Denken abnähme.

So fühlte ich mich gedrängt, meiner Frau und den Kindern die notwendigsten Erklärungen selbst zu geben. »Eine totale Mondfinsternis gibt es immer nur bei Vollmond«, sagte ich mit Überzeugung und weckte damit Neugier. Bei Nachfragen aber mußte ich feststellen, daß meine eigenen Einsichten nur für diesen einen Satz reichten. Wie ist man doch auf den Kommentar bei Fernsehereignissen angewiesen! Es war wie die Übertragung einer Mondlandung, bei der der Ton ausgefallen war. Als Familienvater rang ich um meine letzte Autorität.

Zum Glück ließ das Interesse der Familie an diesem Schauspiel bald nach. Das alles ging uns etwas zu langsam vonstatten, gar nicht so schön mit Zeitraffer und Wiederholung, wie man das heute gewohnt ist – »Hier meldet sich noch einmal das wissenschaftliche Sonderstudio...«. Während wir noch am offenen Fenster standen, vertiefte sich bei mir die Einsicht: Was nicht im Fernsehen kommt, kann nicht wirklich wichtig sein. Unsere Kinder, mit dem richtigen Sinn für heutige Kommunikationsstrukturen ausgestattet, hatten wohl auch das Gefühl, diese kostenlose Übertragung am Nachthimmel werde nicht mehr besonders spannend. Sie fragten schließlich, ob wir nicht mal umschalten sollten, um zu sehen, was es sonst noch so gebe.

Und doch, man sollte sich den Mond ansehen! In ein paar Jahrzehnten haben wir am Ende längst künstliche Monde am Himmel, die uns nachts zusätzliches Sonnenlicht zuspiegeln. Vielleicht gibt es dann eine so dicke Smogschicht, daß wir den Mond, ich meine den guten alten Mond, nicht mehr so recht mit bloßem Auge sehen können, vorausgesetzt, er ist bis dahin nicht zur Industrielandschaft gemacht oder in die Luft gesprengt worden. Jetzt können wir den Mond immerhin noch live am Fenster empfangen. Man sollte das auskosten, die berühmte matte Scheibe – ganz ohne Mattscheibe.

Puzzle

Die unheimliche Wirkung eines Puzzles wird immer wieder verkannt. Irgendein hinterlistiger Freund der Familie hat uns diesen Karton, der so harmlos aussieht, weil er eine oberbayrische Landschaft zeigt, einmal geschenkt. Lange war die Versuchung unbeachtet geblieben. Mehr als fünfhundert Teile, das schreckt jeden, der weiß, womit er da spielen würde. Doch dann war es an einem verregneten Sonnabend doch so weit.

Ein Mitglied der Familie hat die fünfhundert Teile auf dem größten Tisch in der Wohnung ausgeschüttet, und – tatsächlich! – der Rand ist inzwischen teilweise schon gelegt. Man sieht sich das an und denkt: Ich halte mich raus! Aber die Herausforderung ist da. Und, wetten, sie wird angenommen.

Das Puzzlespielen hat uns voll im Griff, weil es mit der Sehnsucht des Menschen und mit seinen Schwächen spielt wie kaum ein anderer Zeitvertreib. Wir würden ja gar nicht anfangen, wenn wir die Aufgabe nicht mal wieder unterschätzten. Aller Anfang ist leicht. Und dann kann man nicht mehr aufhören, weil man sich ständig einbildet, gleich sei der Durchbruch geschafft und alles werde gut. Es ist längst Abendbrotzeit, eigentlich wollte ich ein Buch lesen, die Kinder müssen ins Bett, meine Frau hat schon dreimal gerufen, und ich sitze am Spieltisch, raufe mir die Haare und erwarte Wunder. Ich könnte den verfluchen, der das Spiel begonnen hat (ich war's nicht!), und doch will ich davon im Ernst nicht loskommen.

Das Puzzle ist darum ein so gerissener Verführer, weil es uns nicht nur in Verzweiflung stürzt, sondern für uns auch ständig kleine Belohnungen bereithält. Wenn ein Teil paßt, welche Seligkeit! Und welch neue Hoffnung, nun werde alles Weitere ganz schnell gehen. Doch dieses raffinierte System von Strafe und Belohnung, von großer Verzweiflung und noch größerer Hoffnung ist nicht die einzige Gemeinheit des Puzzles.

Das Spiel gaukelt uns vor, daß wir etwas Ganzes erbauen könnten. Und dieses Ganze entsteht ja auch vor unseren Augen, wenn es auch nur eine oberbayrische Landschaft ist, von der ich inzwischen fast jede Einzelheit kenne – und entbehren könnte! Es kann noch Tage dauern, bis wir fertig sind, aber die Hoffnung steigt in dem Maße, in dem die Geduld erlahmen will. Für heute hören wir auf. Morgen aber werde ich wieder um das Schlachtfeld auf der Tischplatte herumschleichen und beschließen, diese Schlacht doch noch zu gewinnen.

Wahrscheinlich sind wir Puzzlespieler Typen, die nicht gut verlieren können; deshalb bevorzugen wir ein Spiel, in dem sich jedes Rätsel löst und jedes Mosaiksteinchen seinen Platz findet. Ja, wir werden zu den traurigen Leuten gehören, die einfach Angst vor dem Mißlingen haben! Im wirklichen Leben werden uns am Ende die entscheidenden Steine fehlen. Nicht so im Puzzle, das uns, wenn alles fertig ist, die Illusion einer Vollkommenheit und damit tiefe Befriedigung vorgaukelt.

Das letzte Stück ist nun eingesetzt, das Kunstwerk vollendet. Auch wenn es nur der billige Druck nach einer allzu bunten Fotografie ist: Die Landschaft glänzt dennoch vor unseren Augen. Jedenfalls so lange, bis sie wieder zerbröselt und in den Karton geräumt wird. Uns aber bleibt, wenigstens für Augenblicke, der Stolz, etwas zustande gebracht zu haben, was wirklich aufging.

Was Zeitschriften einem antun

Politische Zeitschriften gehen ja noch. Allerdings, so ein Magazin durchzublättern ist auch unbefriedigend, vor allem, wenn man sich bei jedem zweiten Artikel sagen muß: sollte ich eigentlich lesen.

Da gibt es aber noch ganz andere Hefte. Jahrelang haben meine Frau und ich uns eine Zeitschrift gehalten, die sich allein mit der Wohnungseinrichtung befaßte. Wundervolle Bilder, herrliche Ideen, das Neueste vom Möbelmarkt. Aber ich sage Ihnen: etwas für Masochisten. Ich sehe schon, ich muß das erklären. Schlagen wir doch so ein Heft mal auf. »Sechs Tips für ein neues Badezimmer«: Tatsächlich, da kann man sehen, wie die trübe Rumpelbude vorher aussah und wie sie nun, sechsfach variiert, in neuer Pracht lockt. Fabelhaft. Ich aber nehme diese Erleuchtung entgegen wie Prügel. Denn es ist mir schließlich nicht verborgen geblieben, daß dieses graue Foto da vorn mit der Unterschrift »Vorher« eine auffallende Ähnlichkeit mit unserem Badezimmer hat.

»Also nichts wie ran«, wird man mir raten. Aber das ist es eben, ich kann im Leben nicht alles machen. Man hat mich schon zu allzu vielem angeregt. Also weide ich mich nur an den herrlichen Vorschlägen und nehme mir fest vor, unser

Badezimmer eben in Zukunft mit geschlossenen Augen zu betreten. Wirklich, diese Zeitschriftenleute können einem die ganze Wohnung vermiesen. Wenn ich solch ein Heft mit einem kleinen Seufzer aus der Hand lege, weiß ich erst, was unsereinem so alles fehlt. Vor allem die Zeit! Meine Kraft reicht ja kaum für den Garten – zu meinem Glück halten wir uns keine Gartenzeitschrift.

Aber wenn's schon nichts mit dem Wohnen ist, wenigstens ein richtig guter Vater möchte ich doch sein. Voller Eifer und guter Vorsätze nehme ich eine Zeitschrift zur Hand, die alle Eltern über den neuesten Stand der erreichbaren Perfektion informiert. Mal sehen, was man heute als Vater so macht. »Wir feiern Kindergeburtstag« steht da. Ich kriege ganz feuchte Augen. Zwölf Vorschläge, alles in Farbe. Gott, diese Vorzeige-Eltern haben ja aus ihrem kleinen Garten vorübergehend einen Jahrmarkt gemacht. Hundert Ideen auf fünfzig Quadratmetern. Zwei Jahre Vorbereitungszeit. Gut, gut, ich gebe zu, alles vorbildlich! Aber ich ermatte.

Ja, ich klappe das Heft zu – schenke mir auch das offenbar für jeden anderen Vater obligate »Intelligenztraining für Babies« – und frage mich, wozu es eigentlich diese hilfreichen, klugen, bunten Zeitschriften gibt, die mir immer so liebevoll zeigen wollen, was ich tun könnte, aber nicht schaffe; kurzum, was ich doch für ein Versager bin.

Wenigstens um die Frauenzeitschriften darf ich einen natürlichen Bogen machen, der mich direkt zu den Hochglanzheften für Männer führt. Hier kann ich mich entspannen und es sogar genießen, daß diese entblößten Damen für mich unerreichbar bleiben. Warum sollte ich das auch bedauern? Ich darf mich zurücklehnen und mich am »bloßen Anblick« freuen. Und dabei dämmert mir endlich, daß genau zu diesem Zweck offenbar alle Zeitschriften gemacht sind.

Beim Blättern soll ich, zu meiner Entspannung, denken: So schön kann man also wohnen, solche herrlichen Väter gibt es, so köstlich können andere kochen! Das muß das Geheimnis dieser Blätter sein: Befriedigung durch reines Anschauen, wie bei den Herrenzeitschriften.

Wer redet denn von Nachmachen?

Sitten und Bräuche

Männerprivileg

Ja, meine Damen und Herren, es gibt eben Unterschiede zwischen Männern und Frauen. Einige wenige hat uns die Natur mitgegeben, und von einem solchen will ich hier in aller Offenheit... Aber nein, ich merke, so kann ich nicht anfangen.

Vielleicht besser so: Die deutsche Hausfrau wird ja vor allem als Putzfrau beschäftigt, und das bringt ein Interesse an hygienischen Fragen mit sich, das ich wohl gerade bei meinen Leserinnen unbesehen voraussetzen darf. Nehmen wir als Beispiel diese scharfen, geruchsstarken Putzmittel... Das führt mich auch nicht zum Thema.

Ich fange besser so an: Es kommt gelegentlich vor, daß sich in unsere Wohnung ein Mann verirrt. Nehmen wir an, da sitzt also eine kleine Schar munterer Gäste, und wie es nicht ausbleiben kann, finden sich darunter auch männliche Exemplare. Man trinkt ein wenig. Ja, und auf die Folgen möchte ich jetzt zu sprechen kommen. Ein Mann in der Wohnung, und er hat getrunken! Was ich meine, läuft etwa so ab.

Ich beobachte, wie sich einer der Gäste auf seinem Stühlchen hin und her windet und dabei Signale der Hilflosigkeit verschickt. Als ich mal aufstehe, um Nachschub zu holen, folgt er mir wie zufällig auf den Flur. Er sucht nur den kleinsten Ort der Wohnung, aber ich suche nach passenden Worten. »Bitte«, sage ich, »ganz hinten links die letzte Tür. Das ist das Herrenklo, da geht es notfalls im Stehen, aber nur notfalls.« Der Gast, der meine Besorgnis bemerkt hat, sucht mich zu beruhigen. »Keine Angst«, sagt er, »ich mache immer die Brille hoch.«

Ich schüttele den Kopf. »Das ist es nicht«, sage ich, »es ist wegen der Hygiene, Männer sind immer so spritzig.« Er zeigt Verständnis dafür, daß es bei uns gelegentlich Kummer mit den Männern gibt, aber er versichert mir, er könne das schon, er habe das Zielen bei der Bundeswehr gelernt. »Bei der Bundeswehr«, entgegne ich nachdenklich, »da hat man wenigstens Gewehre, die wirklich geradeaus schießen.« Er stimmt mir zu, verweist aber zu meiner Beruhigung darauf, außerdem sei er früher bei der Feuerwehr gewesen. »Bei der Feuerwehr!« stammele ich entsetzt, »die ist doch auch bekannt dafür, daß nachher oft der Wasserschaden größer ist als der Brandschaden.«

Er versteht nicht, worauf ich hinaus will, darum versuche ich ihm klarzumachen, wieviel kürzer der Wasserweg im Sitzen ist. Aber diese Aufforderung zur Erniedrigung muß er doch entschieden zurückweisen. »Stehen ist ein Männerprivileg«, sagt er stolz, und ich ergänze bitter: »Für die Folgen kommt allerdings die Hausfrau auf.« Das will er so nicht stehen lassen. »Alles Neid«, sagt er, »der kleine Unterschied muß sein.« Und weil er gerade so versöhnlich gestimmt ist, erzählt er mir auch noch von den wahrhaft fortschrittlichen Frauen, die es sich nicht nehmen lassen, die Kunst des stehenden Wässerns ihrerseits zu erlernen. Anatomisch gehe das, will er mir gerade erklären, aber ich muß ihn bremsen.

Denn jetzt tritt er derart von einem Bein aufs andere, daß ich Sorgen bekomme, er könne mir seine Künste schon auf dem Flur vormachen. Und so muß ich das Gespräch beenden, während er eilig verschwindet. Ich höre nur noch, wie mit einem Knall die Brille hochgeklappt wird. Und über das bekannte Gurgeln legen sich seine zufriedenen Worte: »Gekonnt ist gekonnt.«

Einer mußte es ihm sagen

Mit Ihnen, liebe Leserin, lieber Leser, kann ich ja ruhig darüber sprechen, Sie sind weit genug von mir entfernt, während ich hier in die Tasten hämmere – also es gibt Mitmenschen, da möchte man gleich das Fenster aufreißen. Wirklich, Sie sind nicht persönlich gemeint, nur... Also, indem ich starr meine Tasten und keinen von Ihnen scharf ansehe, will ich Ihnen erzählen, wie das neulich mit unserem jungen Kollegen war. Gewiß, das Wetter war heiß, ich will auch annehmen, daß er durchaus wieder sein Deo genommen hatte. Deos scheinen nur erfunden zu sein, um denen, die sich ohnehin zu spärlich waschen, wenigstens das Gewissen zu benebeln.

Aber, worauf ich hinauswollte – das alte Problem: Wer sagt es ihm? Früher hätten die Kollegen untereinander gesammelt, irgendeiner hätte ein Stück Seife gekauft und es mit namenlosen Grüßen auf seinen Arbeitsplatz gelegt. Aber das ist veraltet. Kesse Teenies schreiben heutzutage bei solcher Gelegenheit ein Schild: »Riech' ich dein Aroma – fall' ich gleich ins Koma!« Aber so unverblümt wollte ich nicht sein.

Daher habe ich auf eine gute Gelegenheit gewartet. Eines Tages sind wir in meinem Zimmer allein, ich öffne das Fenster, murmele etwas von frischer Luft und komme wie von ungefähr auf synthetische Fasern, die den Körper einfach nicht so richtig atmen lassen, zu sprechen. Zu meiner großen Erleichterung nickt er durchaus einsichtsvoll. Das sei wirklich ein Problem, räumt er ein, als suche er schon lange das Gespräch darüber. Er setzt sich auch gemütlich auf den angebotenen Stuhl.

Ich fühle mich ermuntert und wage den nächsten Schritt. »Es liegt gar nicht daran, daß sich jemand nicht oft genug wäscht«, baue ich ihm eine goldene Brücke, »mancher riecht eben stärker als andere, auch wenn er sich noch soviel Mühe gibt...« Ich sehe ihn an, so aus den Augenwinkeln, aber er ist offenbar rührend bereit, auf meine Sorgen einzugehen. »Das ist wirklich ein Problem«, sagt er, »das man nicht nur der Werbung für Deos überlassen sollte.«

Was bin ich froh, es mit einem so verständigen Menschen zu tun zu haben. »Es sind oft die nettesten Kolleginnen und Kollegen«, sage ich begütigend, »die es einfach nicht merken, daß sie den anderen in die Nase steigen.«

Er nimmt auch das gelassen auf, erhebt sich aber. Vielleicht will er sich in einem Anfall von Tatkraft gleich mal etwas frisch machen. Ja, während er zur Tür geht, sagt er: »Ich bin dir wirklich dankbar, daß du das Thema zur Sprache gebracht hast. Irgend jemand mußte es ja mal ansprechen. Und ich bin froh, daß du es selbst warst.«

Der Gute! Nicht immer gehen solche Gespräche so harmonisch aus. Ich bin wirklich erleichtert. Er beugt sich sogar noch an mein Ohr und flüstert: »Wenn man in ein gewisses Alter kommt, nimmt man seinen eigenen Geruch nicht mehr richtig wahr und merkt gar nicht, was mit einem los ist.«

Ich sehe ihn wohl recht ungläubig an, denn so alt ist er noch gar nicht. Darum erklärt er das: »Du bist nun in diesem Alter, die Kollegen haben schon überlegt, wer es dir sagt, und ausgerechnet mich haben sie dazu bestimmt. Vielen Dank für dein Verständnis.« Er ging hinaus. Damit ich in mich ginge.

Kippen

Natürlich rauche ich nicht. Aber neulich bei einem Gartenfest habe ich mir eine angesteckt. Ich war mit einem etwas streng aussehenden Herrn ins Gespräch gekommen und blies den Rauch taktvoll an ihm vorbei in die frische Luft. Es nahte jedoch der Augenblick, in dem sich unabweisbar die Frage stellte: Was mache ich mit meiner Filterkippe hier im Freien? Ich blickte auf meine Fingerspitzen, bemerkte, daß die Zigarette schon bis zum Filter abgebrannt war, sah meinen Gesprächspartner verstohlen an – und ließ die Kippe fallen, wie zufällig, um dann mit der Spitze meines Schuhs alles zu versuchen, sie unauffällig in das Gras zu bohren. Derweil war ich bemüht, so gut es ging, weiterzureden, um mein Gegenüber mit meinem Gesprächsstoff abzulenken. Er aber blickte zu Boden und beobachtete mein frevelhaftes Tun.

Als ich meinen Schuh wieder zurückgezogen und ordentlich neben den anderen gestellt hatte, sah man im grünen Gras immer noch den schmutzig-bräunlichen Filter mit dem verkohlten Rand, plattgetreten und zwischengelagert, aber keineswegs schon aus der Welt geschafft. Zu dem saftigen, grasgrünen Rasen bildete er, wie ich zugeben muß, einen unschönen Gegensatz. Ich sprach immer noch auf den strengen Herrn ein, wenn auch stockend und mit längeren Pausen. Er sah mir in die Augen und ging dabei in die Knie, die Hand suchend ausgestreckt. Seine Finger ergriffen den platten Stummel. Er kam wieder hoch.

»Oh, natürlich«, sagte ich und versuchte harmlos zu lächeln. »Macht weiter nichts«, entgegnete er, »irgendeiner muß es ja tun, und ich tu' es gern.« – »Stört doch keinen, ist doch ganz weich«, brachte ich zu meiner Entschuldigung vor und versuchte ihm klarzumachen, was andere Leute alles wegwerfen. Sie zertrümmerten sogar Flaschen und verstreuten dann auch noch die Scherben... Dagegen mein kleiner Filterstummel, ob der ihn wirklich störe?

Ich hatte mich inzwischen erstaunlich gut gefangen und den warmherzigen, nachsichtigen Ton angeschlagen, den Psychologen und Psychiater so unweigerlich treffen, wenn sie einen Psychopathen beruhigen müssen. Tatsächlich senkte er schon den Blick und war eben bereit, sich zu seiner neurotischen Fehlhaltung zu bekennen, die ihn offenbar jede Art von Umweltverschmutzung wie eine persönliche Kränkung empfinden ließ. Aber dann reckte er sich doch empor, holte tief Luft, sah auf seine Finger, die das Corpus delicti immer noch festhielten, und fragte entschlossen: »Was machen wir nun damit?«

»Geben Sie ihn her«, sagte ich mit gekonnter Leichtigkeit, »ich werfe ihn in die Büsche.« – »Geht auch nicht«, entgegnete er, »selbst da verrottet er in zehn Jahren nicht.« Mir wurde die Sache ungemütlich, weil die anderen Partygäste auf unsere Unterhaltung aufmerksam wurden. Wir boten ohne Zweifel ein unwürdiges Schauspiel. Da entschloß ich mich zur Güte: »Kommen Sie, ich muß sowieso ins Haus, ich werf' das Ding ins Klo.«

Eine weißhaarige Dame, die hinzugetreten war, rief: »Keinesfalls ins Klo!« und ihre Augen funkelten dabei, als sei sie selbst die Direktorin der städtischen Kläranlagen. Ich entfernte mich samt Stummel mit dem Versprechen, einen Mülleimer zu suchen.

Als ich zurückkam, sagte der strenge Herr milde: »Vielleicht sollte man einen Menschen doch nicht so hart behandeln.« Ich wollte ihm gerade zustimmen, da sagte die alte Dame: »Aber die Natur auch nicht.«

Nikotinismus

Neuerdings kann man es in Rußland ganz ohne Wodka zum Generalsekretär bringen. Und was dem Gorbatschow der Alkohol, das ist dem Reagan das Nikotin. Nie haben wir Ronny auf dem Bildschirm gesehen, und eine brennende Zigarette wäre auch nur in der Nähe gewesen. Auch in amerikanischen Fernsehserien rauchen nur noch Schwächlinge – oder Finsterlinge wie das Biest Alexis.

In Dänemark haben untreue Untertanen dazu aufgerufen, die Briefmarken mit dem Bildnis von Königin Margarethe nicht mehr zu belecken, solange sie ständig bei Fernseh- und anderen Auftritten schmaucht. In München war bei einer Betriebsratswahl eine »Liste Nichtraucher« erfolgreich. Und in den USA, wo bekanntlich ganze Städte das Rauchen in Amtsstuben verboten haben, soll es schon vorgekommen sein, daß sich Kollegen zusammengerottet haben, um einem schweren Nikotiniker auf den Aschenbecher zu blicken und ihn aufzufordern, lieber das volle Nachtgeschirr mitzubringen, als den Ascher dünsten zu lassen.

Eine neue Minderheit ist entstanden und wird unterdrückt, kaum daß sich Lesben und Schwule befreit haben. Große Firmen wie der Gipshersteller USG in Chicago gehen so weit, ihren Mitarbeitern sogar das Rauchen zu Hause zu verbieten, ein Verbot, das durch ärztliche Reihenuntersuchungen der Lunge regelmäßig überprüft werden soll.

Darum schließen sich die Verfemten zusammen. Seit Jugendtagen in eine Schulhofecke für qualmende Sünder gedrängt, in Betrieben aufs Klo oder auf die Feuerleiter genötigt, suchen die Verdächtigten das Bündnis untereinander. Schon soll die Besatzung eines betrieblichen Raucherzimmers die steuerliche Anerkennung als Sportgemeinschaft beantragt haben. Was uns einleuchten muß, denn Rauchen ist durchaus wie Sport: so teuer wie Golf, so bekömmlich wie Autorennen und so angesehen wie das Boxen.

Andere Nikotingruppen planen die Anerkennung als praktizierende Religionsgemeinschaft. Von einer feindlichen Umwelt isoliert, vollziehen sie ihre rituelle Handlung als heiliges Rauchopfer und sind als Märtyrer ihrer Überzeugung bereit, am Ende den verdienten Tod nicht zu scheuen.

Nur haben sich die Rauchersekten noch nicht auf eine gemeinsame Liturgie einigen können. Eher orthodoxe Kreise wollen »Ich rauche gern, ich rauche gern« mit der bekannt brüchigen Stimme murmeln. Die progressive Mehrheit neigt hingegen eher dazu, umgeben von ihren Räucherstäbchen, so lange zu rufen »Ich will aufhören...!«, bis der Chor jedesmal im allgemeinen Husten untergeht.

Ganz tapfere Nikotiniker haben zur Selbsthilfe gegriffen und eine eigene Firma gegründet, in der nur mitarbeiten darf, wer es auf wenigstens zwei Packungen pro Tag bringt. Ab sieben Packungen gibt es Zulagen. Wer auch nachts noch jede halbe Stunde aufsteht, um zu rauchen, gilt als Spitzenkraft. Der kleine Betrieb florierte, bis seine Klimaanlage den Rauch nicht mehr wegschaffen konnte und es infolgedessen der Briefträger – als einzige lebendige Verbindung zur Außenwelt – ablehnen mußte, sich jeden Tag bis zur Poststelle vorzutasten. Nun steht es schlecht um die Firma, denn der einzige Computer ist in Streik getreten. Er blinkt ständig die Meldung, er vertrage das Rauchen nicht, das man ihm beizubringen versucht.

Im Konzert

Musik verbindet. Ich jedenfalls fühle mich im Konzert nie einsam und verlassen. Um mich herum sitzen, gut getarnt im Saal verstreut, wenigstens hundert Solisten und warten darauf, mir durch ihr »Konzert für Hustenanfall und Orchester« näherzukommen. Schon während der Dirigent erscheint, stimmen sich die Stars der Schleimhäute ein. Der

Dirigent sammelt sich – immer noch das Krächzen –, er hebt die Hände, als wollte er den Räusperern wehren. Kein Erfolg.

Die Musiker beginnen dennoch zu spielen, weil sie diese Art von Begleitung in Deutschland nicht anders kennen. Tatsächlich, die Musik klingt so ungestört, ja makellos wie zu Hause von der Schallplatte. Gleich kommt aber das berühmte Pianissimo. Ja, da ist es! Und pünktlich, genau in diesen Hauch von Musik hinein, hat ein ansonsten anonymer Bartträger seinen öffentlichen Auftritt. Ein krachendes Bellen, das vermuten läßt, er habe sich besonders auf diese Gelegenheit, einmal aus der grauen Masse herauszutreten, vorbereitet. Gut gemacht! Die anderen Kehlkopfartisten im Saal neiden ihm das exakte Timing und fallen erst verspätet ein.

Oder sollte das alles Zufall sein? Tue ich meinen Mithörern unrecht? Am Ende auch der jungen Dame neben mir, die sich taktvoll, wie sie ist, darauf beschränkt, alle viereinhalb Minuten einmal die Luft hart durch die Nase zu stoßen, als wollte sie die Leistung der Musiker abfällig kommentieren? Ja, ich tue den Mitmenschen schon wieder unrecht, denn bekanntlich ist der Nasen-Rachen-Raum ein Schauplatz von Naturereignissen. Auffällig ist nur, daß weder der Dirigent noch die Musiker jemals husten müssen. Sie sind einfach zu sehr bei der Sache. Was man von Zuhörern nicht verlangen kann.

Und was ist mit all den Meistern des Wispergesprächs um mich herum? »Den Fagottisten kenne ich«, so durfte ich ganz leise mithören, »der wohnt bei uns um die Ecke, fährt, glaube ich, einen Opel.« Der Mann hätte Souffleur werden sollen, so mühelos macht er sich verständlich.

»Haben wir das nicht zu Hause mit Karl Böhm?« Diese intime Frage kam jetzt aus der vierten oder fünften Reihe hinter mir. An Einsamkeit leide ich nicht. Aber ich übertreibe schon wieder. Längst nicht immer ist nämlich so gut zu verstehen, was die Musikfreunde einander und mir mitzuteilen haben. Manchmal bekomme ich nur die Zischlaute mit und muß das übrige dann mühsam erraten.

Und überhaupt, nichts gegen die menschliche Stimme! Wie wohltuend ist sie doch, verglichen mit dem Bonbonpapier, das seit Minuten von einem Herrn links raschelnd auseinandergefaltet wird. Er tut es mit Bedacht so langsam, damit er niemanden stört, denn er hält sein Tun für unhörbar. So werden wir anderen länger etwas von diesem Papier haben als er anschließend von dem Bonbon.

Endlich der Schlußakkord! Spärlicher Beifall. Nicht einmal richtig klatschen können diese Menschen. Nun muß ich den Applaus auch noch fast allein aufpeppen, indem ich zwischen meinen Handflächen die Kracher erzeuge, die nicht nur mich selbst immer wieder begeistern.

Jemand tippt mir von hinten auf die Schulter. Ich drehe mich um. »Können Sie nicht mal etwas leiser klatschen, wir haben schon immer Angst vor Ihnen«, sagt eine Dame mit schmerzverzerrtem Gesicht. Offenbar ist jeder auf seine Weise eine Qual für die Menschheit.

Hier Hallo!

Beim Telefonieren entscheidet das erste Wort, das der andere spricht. Ich habe eine Nummer gewählt, es läutet, und nun kommt's. »Schneider!« O Gott, in welcher Laune mag er gerade schwelgen? Gewiß habe ich ihn gestört, bin heute der fünfzehnte Anrufer. Sein Ton läßt mich augenblicklich zum Bittsteller werden. »Neuhöfer bei der Arbeit!« pflegt ein Mensch sich zu melden, der sich von mir so wenig wie von anderen gern stören läßt und das lieber gleich bekanntgibt.

Wie anders klingt es doch, wenn der Hörer abgenommen wird und sich der Gewünschte butterweich mit »Peter Wein, guten Tag« meldet. Aha, ich bin willkommen. Als ich diese Sanftmut von Stimme und Stimmung allerdings zu kopieren suchte, meinten zu viele Menschen, die morgens bei uns angerufen hatten, sie hätten mich aus tiefem Schlaf geholt. Und das um halb neun! Seitdem bin ich am Morgen besonders laut, wenn ich meinen Namen schnarre.

Ich will gar nicht lange von denen sprechen, die heute

noch mit jenem »Hallo« aus der Altsteinzeit der Fernmeldetechnik zur Stelle sind, das schon immer dazu dienen sollte, den Anrufer zu veranlassen, sich als erster zu erkennen zu geben. Oder die sich hinter einem anonymen »Ja, bitte« verbergen, was sie als bekannte Persönlichkeit erscheinen läßt und in die Nähe der Besitzer von Geheimnummern rückt.

So viel Verschwiegenheit und Prominenz anzudeuten kann sich ein Handwerksbetrieb nicht leisten. »Schulz!« tönt es am anderen Ende. Ich wünsche einen guten Tag und trage nun umständlich meinen Wunsch nach einer größeren Reparatur vor, bis ich nach mehr als zwei Minuten unterbrochen werde mit der lustigen Aufklärung: »Hier ist der Sohn, mein Vater ist nicht da.« Ach Söhnchen, du kleiner Ödipus, bist offenbar stolz, daß du wenigstens stimmlich schon ganz das Organ deines Vaters erreicht hast.

Ich habe eine Nummer gewählt, die ich aus den Gelben Seiten habe. »Mei-o-schier-groß-ta!« werde ich freundlich begrüßt. »Wer ist da bitte?« – »Meixner und Schiederberg, Großhandel, guten Tag!« O Name, wie kurz und rund bist du geschliffen, nachdem du tausendmal ausgesprochen wurdest. Ja, es gibt Überraschungen. Nicht überrascht bin ich hingegen, wenn ich bei einem Amt oder einer öffentlich-rechtlichen Anstalt anrufe und, nach langem Klingeln, mit einem »Moment!« empfangen werde, mit dem die Verbindung eröffnet und sogleich wieder unterbrochen wird. Das ist eine der gestreßten Damen mit den vielen Anschlüssen auf einem Apparat. Ich sehe es ja ein, daß sie ein anderes Gespräch hat, aber warum gönnt sie mir nicht einen ganzen Satz, um mich zu vertrösten? Sie hatte Angst, mich nicht mehr loszuwerden, wenn sie mich erst einmal einen Spaltbreit hereingelassen hätte.

Immer noch besser, wir fallen einem unvollkommenen Menschen in die Hände als einer perfekten Maschine. »Guten Tag, hier ist der automatische Anrufbeantworter Hannover 8 86 22 26.« Grausen erfaßt mich. Und spätestens bei der Aufforderung »Bitte sprechen Sie jetzt!« und dem garstigen Pfeifton, der dann auch noch folgt, lege ich verschüchtert auf.

Sagen Sie mir doch, warum können sich die Leute nicht mal ein Beispiel daran nehmen, wie ich mich am Telefon melde? Zugegeben, der Name Hirsch klingt bei mir wie ein Räuspern. Aber das kommt wenigstens von Herzen.

Parknotstand

Daß Not kein Gebot kenne, diese altdeutsche Weisheit wäre ja, weil wir keine Not mehr kennen, ganz in Vergessenheit geraten, gäbe es da nicht die Suche nach einem Parkplatz. Volk ohne Raum, hier wird es wahr.

Zum Falschparken braucht man einen Grund. Um in den erwünschten Notstand zu geraten, muß man ihn freilich erst herbeiführen, indem man so spät losfährt, daß das Parken am Ort des Termins nun wirklich dringend wird. Wer es ausnahmsweise nicht eilig hat, kann sich für seine Not darauf berufen, daß man als Autofahrer nah am Ziel parken muß – wie alle Fußkranken, die nur noch ein paar Schritte bis zum Portal humpeln können.

Die Zeit verrinnt, der Blutdruck steigt, »hier muß es sein«, sagt sich der gestreßte Fahrer und genießt den Augenblick, wo ihn nicht einmal mehr die Aussicht auf ein Strafmandat noch schrecken kann. Die Zeit der herrlichsten Ungeniertheit hat begonnen.

Findet sich selbst im Halteverbot kein Plätzchen mehr, so greifen ganz Mutige in ihrer neu gewonnenen inneren Unabhängigkeit zum Parken in der zweiten Reihe. Am besten stellt man sich da ein wenig dumm und deckt dies Fehlverhalten mit einem anderen zu: Man läßt den Motor laufen. Vergiftet zwar die Umwelt, zeigt aber allen Passanten, daß man schon in einer halben Stunde zurück sein wird.

Nur für Mutige, sage ich, denn die meisten Autofahrer lieben ihr Fahrzeug viel zu sehr, um es einer Gefahr auszusetzen zu wollen. Die aber droht hier, denn das Auto könnte, dem Verkehr preisgegeben, eine Schramme abbekommen. Darum bevorzugen viele Notparker doch die weiche Lösung: Man stellt sein Fahrzeug besser in den Strom der Fußgänger. An den Einmündungen der Straßen, dort wo der

Bürgersteig aufhört und über die Straße führt, ist meist noch ein Plätzchen frei für ein schnuckeliges kleines Auto. Die paar Fußgänger (gibt's hier überhaupt welche?), die vielleicht da über die Straße wollen, sind bestimmt schlank und wendig.

Zu den besonderen Vorzügen des Parkens im Passantenstrom gehört es, daß hier dem ruhenden Auto nach und nach eine sanfte Reinigung verpaßt wird, denn seine Stoßstangen werden von all den vorbeigequetschten Mantelsäumen und Hosenbeinen bald blankgeputzt sein. – Wenn überhaupt noch ein Durchkommen ist für die Mühseligen und Beladenen.

Der Parker wirft zufrieden einen Blick zurück: »Da steht es gut, dagegen kann keiner was sagen!« Not kennt kein Gebot. Oder, da wir gerade bei den Sprichwörtern sind, Jugend kennt keine Tugend. Hauptsache, dem Auto passiert nichts. Aber, offen gesagt, das ist heutzutage nicht mehr so sicher.

Es sind schon allzu viele mutige Kinder, willige Rentner und mutwillige Hausfrauen unterwegs, die so eben mal, wenn sie sich schon eng an der bösen Blechbarriere vorbeidrücken müssen, die Antenne knicken oder den Heckscheibenwischer abbrechen.

Ja, einige Wohlpräparierte lassen – mit aller gebotenen Diskretion, versteht sich – auch schon mal einen spitzen Schlüssel am geheiligten Lack des Notparkers vorbeiratschen. In Verschwörerkreisen werden sogar Brillantringe als wirksam empfohlen. Die Kratzer können den Autobesitzer ganz schön aus der Fassung bringen – auf die Dauer allerdings auch den Brillanten.

Es liegt am Wege

Wenn ich im Wald spazierengehe, sehe ich Abfälle. Ich sehe, glaube ich, alle Abfälle, die überhaupt da am Wege liegen; abgelegt von Menschen, die vor mir hier die Natur genießen wollten und dabei unvergeßliche Erinnerungen zurückgelassen haben.

Hier eine Cola-Dose im Gras, schon halb zugewachsen, dort eine Cellophanhülle, die wohl einst zu einer Zigarettenschachtel gehört hat, Tautropfen glitzern darin. Bald begegne ich einem Papiertaschentuch, schon halb in Verwesung übergegangen, aber immer noch von gräßlich leuchtendem Weiß. Dann finden sich an einem Birkenstamm braune Glassplitter – Zielwerfen mit einer Bierflasche. Die Überraschungen reißen nicht ab. Ein Aluminiumpapier, funkelnd und mit gezacktem Rand, das muß von einem Kaugummi stammen. Und richtig, da ist auch die hellgrüne Hülle nicht weit, das ausgespuckte Gummi müßte man wohl nach zwei Kilometern auch noch finden können. Zeitungspapier, Zigarettenstummel, Fetzen von der Hülle eines Schokoladenriegels und eine leere Kekspackung. Die Deutschen wissen, was poppig wirkt.

Auf all das fällt mein Auge. Ich sehe es mit einem Eifer, der in keinem Verhältnis steht zu der Aufmerksamkeit, die ich dem frischen Grün der Blätter und den hübschen Mücken schenke, die in der Abendsonne tanzen. Meine Frau macht mich noch auf andere Naturschönheiten aufmerksam. Aber ich brumme nur: Was fällt den Leuten bloß ein! – Denen fällt nichts ein, sondern heraus.

Statt den Blicken meiner Frau zu folgen, male ich mir aus, wie ich auf einen auf frischer Tat ertappten Spaziergänger zugehen würde – höflich natürlich, aber mit Herzklopfen und deswegen etwas zu laut und kurz angebunden. Man kriegt die Leute jedoch nie zu sehen. Das muß man ihnen lassen, diskret sind sie. Bereichern die Natur und machen doch wenig Aufhebens von ihrer Person. Um mich abzulenken, fange ich an aufzuzählen, was das Verhalten dieser Leute entschuldigen könnte. Vielleicht handelt es sich um ganz junge Menschen, rede ich mir ein, die zu Hause streng gehalten werden und sich von Herzen freuen, in der freien Natur mal so ganz sie selbst sein zu können. Stiller Protest bei Mutter Grün.

Oder, frage ich mich, sind die Wegwerfer ganz besonders saubere Menschen, die eine solche Abneigung gegen Müll haben, daß sie noch viel größer ist als meine? Eine so große Abneigung, daß sie die gebrauchten Packungen und Dosen gar nicht wieder in die Tasche stecken mögen, aus der sie gerade hervorgekommen sind? »Solch einen Müll«, sagen die sich wohl angeekelt, »kann man doch nicht bei sich in der Nähe dulden!«

Und wenn sie die Sache so nicht sehen, dann gäbe es für ihr Verhalten noch eine dritte Erklärung: Diese Leute gehen nur bereitwillig auf das ein, was die Industrie ihnen nahelegt. Sind denn nicht die Wegwerftaschentücher, Ex- und Hopp-Flaschen, Kaugummis und Filterkippen extra dazu gemacht, fallen gelassen zu werden, wo man gerade geht und steht? Ja, sage ich mir dann, diese Leute haben die Wegwerfgesellschaft endlich mal wörtlich genommen. Sie haben außerdem das Problem mit der Mülldeponie demokratisiert und damit gelöst.

Während ich nun, sichtlich beruhigt, doch dem Zeigefinger meiner Angetrauten folge und in die Abendsonne blinzle, fesselt meinen Blick etwas Grünlich-Weißliches am Fuß der Tanne. Ich muß doch mal nachsehen...

Bescheiden wie ein Autor

In der warmen Sonne vor einem Universitätsgebäude sitze ich neben einem Kollegen vom Fernsehen und warte. Wir haben gleich gemeinsam einen Termin, müssen uns aber noch die Zeit vertreiben. Zufällig habe ich in der Zeitung gelesen, daß dieser Redakteur einen Roman veröffentlicht hat. Ich sage also höflich: »Entschuldigen Sie bitte, ich habe Ihr Buch noch nicht gelesen« – denn ich kenne doch Autoren! Er verzeiht das. Aber er greift das Thema, das ich so liebenswürdig angeschnitten habe, allzu gern auf – ganz beiläufig natürlich, versteht sich. Ob ich ihn im Radio gehört hätte? Nein? Ja, da sei er interviewt worden. Ob ich denn die Rezension in der ›Zeit‹ gelesen hätte. Leider auch nicht. »Macht nichts«, sagt er und erzählt mir dann in der nächsten halben Stunde alles über seinen Romanerfolg.

Und ich, was tue ich? So ganz nebenbei suche ich nach der passenden Gelegenheit, in das Gespräch mal einfließen zu lassen, ich hätte übrigens auch ein Buch... Und so weiter. Ja, sogar mehrere! Aber keine Gelegenheit. Von meinem letzten Buch würde ich auch hier gern etwas erzählen.

Aber erst noch eine andere Geschichte. Im Herbst, kurz vor der Frankfurter Buchmesse, war ich in der Kantine des NDR in Hamburg. Ein bekannter Moderator saß da auch am Tisch, er hatte was Dickes in der Jackentasche. Bald zwängte er es heraus, wobei er bescheiden vorbrachte, es sei ein neues Buch von ihm. Er will wirklich nur wissen, wie wir anderen den Umschlag finden. Nur das! Einer der Umsitzenden tut ihm den Gefallen, sich das Buch dringend für zwei Stunden auszubitten. »Das geht nicht«, sagt der Autor, »es ist mein einziges Exemplar, das Buch ist noch gar nicht auf dem Markt!« Aber dann rückt er es, allzu geschmeichelt, doch heraus. »Nur für zwei Stunden!«

Also, da wir gerade dabei sind, darf ich mich vielleicht einfach mal an meine Leser wenden. Mit meinen Büchern habe ich sehr unterschiedliche Erfahrungen gemacht, was die Umschläge betrifft. Nur um die geht es mir...

Vorher aber noch eine andere Geschichte. Im letzten Frühjahr sitze ich in einer Konferenz, bei der es um die deutsche Umgangssprache geht. Meinen Nachbarn, einen grauhaarigen Krauskopf, habe ich am Namensschild erkannt und gebe ihm zu verstehen, daß ich sein Buch gelesen hätte. Er ist ganz verwirrt – oder tut jedenfalls so. »Welches Buch meinen Sie«, sagt er bescheiden, »ich habe mehrere geschrieben.« Nun geht er mit mir die Reihe durch. Eins sei sogar ein heimlicher Bestseller, sagt er. Und ich hoffe derweil, er werde jetzt ganz kollegial auf mein letztes Buch zu sprechen kommen. Aber ich warte vergeblich.

Nach der Sitzungspause kommt er mit neuem Schwung auf mich zu. Aus seiner dicken Jackentasche nestelt er ein brandneues Taschenbuch. Wie ich den Umschlag fände, nur darum gehe es ihm. Diese Form der Bescheidenheit kommt mir bekannt vor. Ich sage, ich fände den Umschlag sehr eindrucksvoll. Mit meinen Büchern sei ich ebenso zufrieden, flechte ich ein. Aber auf dem Ohr hört er nicht und erzählt weiter wie ein verliebter Vater von seinen gebundenen Kindern und ihren Umschlägen.

Auch in dieser Glosse habe ich die Sprache immer noch nicht auf meine eigenen Bücher gebracht. Leider ist die Seite schon voll! Ich habe nämlich mehrere...

Peinlich, peinlich!

Es gibt Augenblicke, da möchte man in den Boden versinken... Ich weiß, wovon ich rede. Erst vor ein paar Wochen sprach ich mit einer Nachbarin; als das Gespräch längst beendet war, fiel mir ein, was ich Taktloses gesagt hatte. Mir wurde auf der Stelle so heiß, daß ich die Jacke ausziehen mußte. Ach, reden wir doch lieber von dem, was anderen Leuten passiert ist. Das wird mich von der Erinnerung an meinen Fehltritt ablenken.

Der neue südafrikanische Botschafter in Uruguay übergab im Mai 1981 dem Präsidenten sein Beglaubigungsschreiben und stellte sich dann der Presse seines neuen Gastlandes. Er sei wirklich sehr froh, betonte er, in Peru zu sein. Nach der Konferenz, als man ihm sagte, daß er in Uruguay sei, hat er sich schriftlich bei allen Journalisten entschuldigt.

An dieser Stelle müssen wir wenigstens eine einzige Geschichte des ebenso unvergeßlichen wie vergeßlichen Bundespräsidenten Heinrich Lübke erwähnen. Es wird im Jahre 1962 gewesen sein, Lübke lernte noch eifrig Englisch und hatte sich auch gut auf den bevorstehenden Besuch des indischen Staatspräsidenten vorbereitet. Er wußte, daß er ihn auf dem Rollfeld gleich neben der Treppe mit der Frage begrüßen müsse: »How are you?« Als es soweit war, sagte er aber: »Who are you?« Der Gast soll etwas verdutzt gewesen sein, weil er selbst durchaus wußte, wen er vor sich hatte, antwortete jedoch tiefernst und würdig: »I'm the Indian president.«

Solche Geschichten trösten mich immer, wenn ich gerade wieder einmal dabei bin, meinen Fuß mühsam aus einem Fettnäpfchen zu ziehen. Dann denke ich auch an Peter Balfour. Als sich Prinz Charles gerade mit Lady Diana verlobt hatte, nahm er in Glasgow an einem Empfang teil. Besagter Peter Balfour, ein Geschäftsmann, brachte einen Toast aus, bei dem er dem Prinzen herzlich zu seiner Verlobung mit Lady Jane gratulierte. Es war sein Pech, daß er den falschen Vornamen erwischt hatte, und ärger noch: Die Lady Jane gab es wirklich, sie war eine der früheren Kandidatinnen des Prinzen.

Der frühere Premierminister Frankreichs, Raymond Barre, verurteilte im Oktober 1980 das Bombenattentat auf eine Pariser Synagoge mit den Worten: »Dieses verabscheuungswürdige Verbrechen galt Juden und traf unschuldige Franzosen.« Ja, als seien die Pariser Juden weder unschuldig noch Franzosen, wie Roger Rosenblatt in der ›New York Times‹ schrieb.

Und noch eine letzte Geschichte. Mir hat sie während meines Studiums ein Mitstudent erzählt. Als Schüler wurde er von einem Freund gebeten, die Schwester des Freundes zu einem Ball einzuladen, obwohl die Schwester so stark hinkte, daß sie kaum tanzen konnte. Nun hatte aber mein Studienkamerad als Schüler einen Schnack, den er bei jeder Gelegenheit vorbrachte, ein Scherzwort. Und als er mit der Schwester seines Freundes zum erstenmal zur Tanzfläche ging, lief ihm der Schnack wieder mal über die Lippen. Er lautete: »Mal sehen, sprach der Blinde, wie der Lahme tanzen kann.«

Es gibt Worte, die man nicht mehr gutmachen kann. Wenn ich mich dennoch an die Peinlichkeiten anderer Menschen gern erinnere, so nur, um mich über meine eigenen hinwegzutrösten, von denen zu erzählen ich nie übers Herz bringen würde.

Wer nichts hat...

Zum Aufenthalt in der Klinik landet der erfahrene Patient mit dem Hubschrauber, oder er fährt wenigstens mit Blaulicht vor. Ich hingegen näherte mich dem Pförtner zu Fuß und konnte nur bescheiden murmeln: »Ich komme zur Untersuchung.« Es war klar, daß ich damit zum Fußvolk gehören würde. Immerhin wollte mich die Stationsschwester gleich für zwei Tage ins Bett stecken, das ließ mich hoffen. Aber was hatte ich, einmal im Zimmer angekommen, meinen Mitpatienten schon zu berichten, verglichen mit dem, was sie selbst aufzubieten hatten. Fast nichts. Da hieß es, erst einmal klein anfangen.

Kaum lag ich, sagte eine Schwester jedoch streng, ich hätte jetzt Bettruhe und dürfte keinesfalls aufstehen. Das hob mich. In solch einem Augenblick fühlt man sich dem Betrieb doch schon richtig zugehörig. »Sie müssen jetzt zum Röntgen«, sagte sie später, »ich habe einen Fahrer bestellt.« Das hieß, mein ganzes Bett samt Inhalt sollte durch die Flure gerollt werden; gesteuert von einem Mitarbeiter, der den Titel »Fahrer« tragen darf. Ich fühlte mich befördert, auch wenn eine solche Fahrt an die Zeiten erinnert, als man noch von der Mutter geschoben wurde. Zudem bemerkte ich, daß die anderen Menschen auf den Fluren etwas enttäuscht sein mußten von meinem Anblick, weil ich weder Hinweise auf frische Wunden erkennen ließ noch das Röcheln des Komas von mir gab. Nein, ich bot weniger, als es jeder Simulant getan hätte, ich bot überhaupt kein Schauspiel.

Schon bei meiner nächsten Ausfahrt, es ging zum EKG, wurde ich wieder zurückgestuft. Diesmal mußte es ein Rollstuhl tun, immerhin war mein Fahrer noch derselbe. Er stellte mich auf einem Flur ab, konsequenterweise mit dem Gesicht zur Wand, und ging mit den Worten »einen Augenblick!« für immer von dannen. Den anderen Wartenden, die auf ihren eigenen Füßen angeschlurft gekommen waren, fühlte ich mich als Rollstuhlfall so oder so überlegen.

Mein sozialer Abstieg in der Klinik war aber unaufhaltsam, denn bald durfte ich aufstehen. Das war leider nötig geworden, weil man nichts an mir fand. Ich hatte nichts!

Und mir fehlte auch nichts. Was nützte es mir da, daß ich meinen Zimmergenossen gegenüber durchblicken ließ, welche großen Taten meine früheren Krankengeschichten aufzuweisen hatten. Ich erntete erst Nachsicht, dann übertrumpfende Berichte, die, das mußte ich zugeben, jeder Märtyrerlegende zur Ehre gereicht hätten.

Endgültig deklassiert aber wurde ich am Besuchstag. Eine wichtige Funktion in der Patientenhierarchie bekleidet nämlich nur derjenige, der soviel Besuch bekommt, daß die letzten der Lieben auf dem Flur in die Warteschleife geschickt werden müssen. Ja, es mußten schon Nummern ausgegeben und einzeln aufgerufen werden! Noch wichtiger ist nur der Patient, dessen Blumengebinde so zahlreich sind, daß sie selbst auf dem Flur nicht mehr Platz finden. Dazu dann noch diese würdig-ernsten Mienen der Verwandten, deren Augen glänzen, als wären sie schon in Erbschaftsangelegenheiten hier! Erst so ein Hofstaat bringt voll das Ansehen auf der Station.

Als mir das klar wurde, habe ich das Rennen aufgegeben und bin, am vierten Tag schon, als gewöhnlicher Gesunder verkleidet, beschämt und zu Fuß auf und davon gegangen. Denn in einer Klinik ist es wie im richtigen Leben: Wer nichts hat, der gilt auch nichts.

7
Handel und Wandel

Gebrauchsanweisung

Es gibt Menschen, die überhaupt nicht gut erklären können. Daß fast alle diese Menschen sich entschließen, Lehrer zu werden, finde ich nicht weiter schlimm. Immerhin sollen die Schüler ja zu selbständiger Arbeit gebracht werden. Nein, es geht mir mehr um die wenigen anderen Menschen, die zwar ebenfalls nicht erklären können, aber dennoch nicht Lehrer geworden sind. Was machen die denn beruflich so den ganzen Tag? Diese Menschen sind in die Industrie gegangen, um dort ihre Unbegabung sinnvoll einzusetzen. Sie haben auch alle die passende Beschäftigung gefunden: Es ist ihnen gelungen, in ihrer Firma für die Abfassung der Gebrauchsanweisungen zuständig zu sein.

Jetzt wird meinen Lesern auch endlich klar, warum sie immer so begriffsstutzig waren. An Ihnen kann es nicht gelegen haben! Sie haben sich eine vollautomatische Kamera gekauft, endlich ist sie ausgepackt, und Sie schlagen die Gebrauchsanleitung auf. In elf Sprachen! Aber Deutsch ist nicht dabei, jedenfalls kein Deutsch, das Sie verstehen können. Dabei fällt Ihnen ein, daß Sie die Quarzuhr an Ihrem Handgelenk bis heute nicht vollständig bedienen können, weil Sie damals – nach zwei Stunden Studium und einem Wutanfall – die Sache aufgegeben haben. Also, die Zeit können Sie ablesen, das ist doch schon was.

Und wie war das bei der neuen HiFi-Anlage? »Durch Drehung des Reglers bis zur Anschlagstelle...« Ja, aber wo ist sie? »Durch gleichzeitiges Drücken des Aussteuerungsknopfes...«, aber ich habe doch gar keine Hand mehr frei.

In solchen Fällen wünsche ich mir denjenigen herbei, der die Gebrauchsverwirranleitung verfaßt hat. Was würden, kaum hätte ich meine Beschwerden vorgebracht, seine ersten Worte sein? »Aber das ist doch ganz einfach!« Und es stellt sich bald heraus: Der Herr hat recht. Denn wenn man das neue Gerät erst mal aus dem Effeff kennt, erscheint einem nachträglich die Gebrauchsanleitung ganz einleuchtend. Daß sie immer mal einen Gedanken überspringt, daß ihre Formulierungen meist mehrdeutig sind und das Ganze nur für Fachleute gedacht ist, dafür sollte der Kunde Verständnis haben.

Schließlich wird ja in jeder Firma, wie gesagt, derjenige mit der Abfassung beauftragt, der am wenigsten gut erklären kann. Er bekommt zudem den Auftrag, die Anleitung möglichst kurz zu halten, damit der Kunde schon vor dem Kauf mit einem Blick erkennt, daß es sich um ein Gerät handelt, das ganz einfach zu bedienen sein wird. Lange Erklärungen könnten ihn mißtrauisch machen. Und außerdem kommt es der Firma auf die Gebrauchsanleitung gar nicht an. Die Qualität des Geräts spricht ja für sich. Design und Verpackung tun ein übriges.

Der einzige Industriezweig, der wenigstens ahnt, daß die Produktinformationen der gesamten Konkurrenz nichts taugen, ist die Computerbranche. Erst dachte ich, die Herrschaften drückten sich so ungeschickt aus, um den vielen Kleinverlagen, die eigene Hilfsanleitungen auf den Markt bringen, auch ein Auskommen zu lassen. Aber weit gefehlt, die finden sich selbst durchaus okay. »Wir testen alle unsere Bedienungshandbücher an jungen, aufgeweckten Laien«, sagte mir ein Vertriebsleiter, »und bisher hat noch keiner behaupten wollen, er sei zu dumm, um unsere Anleitung zu verstehen. Sie sind wirklich der erste, Herr Hirsch!« – »Oh, verstehe«, sagte ich, »verstehe!«

Eingefahrene Wege verlassen

Eine ganzseitige Anzeige, farbig. Man sieht einen blauen Geländewagen in reißendem Wildwasser stehen. Der bullige Jeep ist ohne Verdeck, er steht in der Morgensonne wie ein Sinnbild von Wagnis und Lebenslust. Zudem ist er schön, sieht aus wie ein Oldtimer. Und erst das Wildwasser, mitten in der einsamsten Natur. Darüber steht: »Dieser Wagen gibt Ihnen die Freiheit, eingefahrene Wege zu verlassen.« Ich gebe zu, daß diese Anzeige mich gereizt hat, im doppelten Sinne des Wortes. Ich bin nämlich durchaus zu beeindrucken von diesem Spielzeug, das sich Geländewagen nennt, vor allem von dem ungebundenen Leben, das so ein Freizeitauto verspricht. Aber zugleich habe ich auch andere Gefühle. Ich sehe das Schmieröl vor mir, das in das Wildwasser tropft; den Qualm, den der Auspuff in die reine Waldluft bläst; die Wanderwege, die nun von tiefen Reifenspuren zerschnitten sind. Dabei kommen mir Zweifel, ob es solche Autos geben sollte. Darf man, wie hier empfohlen, eingefahrene Wege verlassen?

Die japanische Firma lockt uns bei einer weiteren Gelegenheit mit den Worten: »Wo für andere die Welt zu Ende ist, entdecken Sie eine neue.« Diesmal fährt ein gelber Geländewagen durch einen romantischen See, daß das Wasser nur so hochspritzt. Nach uns die Sintflut. Nach uns die Stinkwut!

Mit einem merkwürdigen Humor wiederum versucht es eine österreichische Automarke. Auf ragendem Kalkfelsen ist eine Gemse zu sehen, der der Ausruf in den Mund gelegt ist: »Steyr-puch-noch-amoi! Seit es dieses Auto gibt, kann man nicht mal mehr in Ruhe die Eier ausbrüten.« Gut, wir unterdrücken hier ein Gähnen wegen des Witzchens von den Eiern der Gemse. Was dann übrigbleibt, ist die Aufforderung, mit dieser Allradkiste so in die Berge zu fahren, daß sogar Gemsen aufgescheucht werden. Natürlich nur zum Spaß!

Die Besitzer eines geländegängigen Autos muß man zart anfassen. Meist schwören sie, noch nie vom asphaltierten Wege abgekommen zu sein. Es sind Seelchen, die nur so tun, als seien sie zu Husarenritten fähig. Sie genießen das Image ihres Wagens und haben das auch sehr nötig. Aber einige tun doch, was sie nicht sollen. Wo sind sonst die Reklamefotos entstanden? Wie kommen die Berichte deutscher Autojournalisten zustande, die uns erzählen, sie hätten den Wagen über Stock und Stein gequält?

Im ›Zeit-Magazin‹ schrieb so ein Fachidiot von Autotester: »Selbst vor Steigungen, die in der Landschaft stehen wie eine Wand, braucht der Pilot eines Geländewagens nicht zu kapitulieren. Der Wagen kann Berge erklimmen, die wackere Wandersleute zu größeren Umwegen veranlassen und auch schon mal Maultiere ins Schwitzen bringen. Die Möglichkeiten in unwegsamem Terrain werden jedenfalls eher vom mangelnden Mut des Fahrers begrenzt als vom technischen Vermögen des Wagens.« Begrenzt ist wohl auch die Einsichtsfähigkeit des Testers.

In der gleichen Nummer des ›Zeit-Magazins‹ wurde übrigens weiter vorn für die Umwelt geworben. Überschrift: ›Ein Plädoyer für das Überleben gefährdeter Pflanzen in freier Natur, damit unsere Kindeskinder in einer natürlichen, bunten Welt aufwachsen.‹

Es haben offenbar verschiedene Journalisten in einer Zeitschrift Platz. Die einen schützen Pflanzen, die anderen zerquetschen sie mit ihren Reifen.

Nach Gutsherrenart

Eine herrlich altmodische Küche glänzt uns entgegen in der Anzeige, deren Mittelpunkt ein pfiffiger Franzose mit Baskenmütze bildet, der am ländlichen Holztisch frische Kräuter schneidet. Ein Bild voller Lebenslust. Der verschmitzte Mann – er ist wohl Bauer in Südfrankreich – erklärt uns, zu seinem wunderbar frischen Kräuterkäse brauche man neben bester Milch auch besonders ausgefallene Kräuter. Alles natürlich handgeschnitten und selbst abgeschmeckt. Doch, doch, das läßt das Bild deutlich erkennen.

Erstaunlich ist nur, daß man diesen Käse, den der Mann in altertümlicher Handarbeit am heimischen Küchentisch herstellt, bei uns überall in den Kühltruhen der Supermärkte findet, in Plastik verpackt, als Massenprodukt. Ich weiß gar nicht, wie der fleißige Mann diese Mengen schaffen kann. So muß ich mich wohl doch zu der Einsicht entschließen, daß dieser bekannte Kräuterkäse nicht am Küchentisch, sondern in einer vollautomatischen Fabrik hergestellt wird, wo er aus weißen Drucktanks quillt und in einer Abfüllmaschine steril portioniert wird. Alles Fließbandarbeit zwischen Kacheln unter Neonlicht; chemisch und hygienisch vorbildlich, jedoch so ganz und gar nicht romantisch und ländlich.

Das aber sollen wir gar nicht wissen, denn dann schmeckte uns der Käse so fade wie jede andere Massenware auch – so schmeckt er, mit geschlossenen Augen, wirklich. Wir wollen es ganz anders. Darum verkauft man heute auch eine Fertigsuppe aus der Dose mit einem Bild, das uns in die ländliche Pracht eines alten Bauernhofs führt. »Nach Gutsherrenart« steht darüber. Schwer zu glauben, aber es hilft beim Essen.

Nicht anders ist es mit den sogenannten »Wiesenhofhähnchen«. Man glaubt bei diesem Namen nur allzu gern, die Hühner hätten in ihrem kurzen Leben viel Gelegenheit gehabt, auf den Wiesen des abgebildeten Gutshofs zu pikken. Aber weit gefehlt. Sie stammen aus mittelständischen Mastbetrieben mit Legebatterien, zu deutsch Zuchthaushaltung, aber die Firma nennt sich Wiesenhof. Mag sich dabei etwas denken, wer will.

Von keinem Nahrungsmittel wollen wir wissen, wie es hergestellt wird. Ist auch besser so. Darum heißt der Schinken nach dem Katenrauch, als sei er von guten Bauern in den Rauch der eigenen, museumsreifen Kate gehängt worden, ins Fichtenholzfeuer. Das Brot, so wollen wir es, soll aus dem Steinofen stammen, die Milch kommt vom Edelhof, die Butter aus dem Butterfaß, das vor dem Fachwerkhaus steht, der Streichkäse aus dem Holzbottich.

Deutscher Wein, bekanntlich einzig unter den Weinen, ziert sich auch gar zu gern mit der Abbildung alter Kellergewölbe, in denen noch ein paar würdige Fässer stehen. Eine Kerze brennt, Butzenscheiben und blankgescheuerte Tische davor wirken anheimelnd. Wer es jedoch wagt, sich eine normale Zentralkellerei anzusehen, weiß nicht, ob er in einer Molkerei oder nicht doch in einer chemischen Fabrik ist. Nur der Keller für die Weinprobe der Besucher ist noch so, wie wir es gern hätten.

Wir wollen betrogen sein. Und darum vergesse ich jetzt ganz schnell, was ich hier geschrieben habe. Es soll mir auch in Zukunft schmecken. Selbst der Käse dieses Franzosen, der Tag und Nacht Kräuter schneidet, ist natürlich willkommen.

Die glücklichen Raucher

Nehmen wir an, es gäbe auf der Welt einen Menschen, der die Zigarette nur aus der Reklame kennte. Der müßte glauben, diese Stengel seien eine beglückende Bereicherung des Lebens. Ja, die Werbeleute, begabt und voll guten Willens, haben was erreicht und sind ihr Geld wert. Aber sehen wir ihnen ein wenig auf die Finger.

Überhaupt, Finger! Manchmal zeigt die Reklame, wie eine gepflegte Hand die Zigarettenpackung hält. Fingernägel – gar nicht vergilbt –, neidisch könnte man werden. Soll man auch. Überhaupt, was für saubere, wunderschöne Menschen! Wichtiger noch als die Hände sind die Zähne. Auf einem guten Teil der Werbeanzeigen sieht man die Raucherinnen und Raucher lächeln. Sie zeigen blendendes Weiß, man könnte denken, es gehe um Zahnpasta oder Kaugummi. Aber sie werben für das bekannte Kraut, das die Zähne gelb, die Zunge stumpf und den Atem übel macht. Diese lästigen Begleiterscheinungen sollen durch die Werbung überdeckt werden. Grundsatz jeder Werbung: Man muß die Schwächen als Stärken darstellen. Weil kaum jemand einen Rauchermund mag – »Einen Raucher zu küssen ist noch schöner als einen Aschenbecher auszulecken« –, muß man gerade ihn als lieblich rein und strahlend sauber zeigen.

Die Zigarette selbst wird ebenfalls gern in ihrem unschuldigen Zustand vorgeführt, wenn sie noch frisch ist und angenehm duftet. Oder man sieht sie, wie sie soeben angezündet wurde. Ein kleiner, grauer Aschenkragen, das erste kräuselnde blaue Wölkchen steigt auf, und jeder Kenner weiß, der erste Zug, das ist der einzig gute.

Zigarettenstummel in einem übervollen Aschenbecher hingegen, die grausige Kehrseite des ersten Genusses, werden nur von der Gegenseite gezeigt, von den Feinden des Rauchens. In der Tat einer der schlimmsten Anblicke, die sich unsere Zivilisation leistet. Zerdrückte Stummel, gelblich-saftig, in stinkender Asche. Und doch von unserer Toleranz meist geduldet. Die Werbung hingegen, der lieblichen Seite des Konsums zugewandt, zeigt die Raucher fröhlich, besonders gern in freier Natur. Auch das mit gutem Grund. Denn jeder weiß, wie verqualmt ein Zimmer ist, wenn darin geraucht wurde. Im Freien aber ist immer frische Luft. Auch Rauchen ist Frische! Gibt freien Atem!

Und was machen die lebensbejahenden Typen da draußen mit ihrer Zigarette? Am liebsten würden die Werber sie beim aktiven Sport zeigen, aber das ist nicht erlaubt – auch ganz jugendlich dürfen die Fotomodelle nicht sein. Wenn schon kein Sport, dann wenigstens Ballonfahren, im Schlitten sitzen, Wandern oder Boccia spielen. Hauptsache, Tätigkeiten, die gesund wirken. Die Zigarette stiftet Gemeinschaft und sorgt für Stimmung.

Wenn uns die Werbung das vorgaukelt, können wir ziemlich sicher sein, daß das Gegenteil zutrifft. Die Zigarette, so ergibt sich daraus, ist typisch für den gestreßten, vereinsamten, bedrückten Menschen, der sich in dem unnachahmlichen Zweifrontenkrieg zwischen Leerlauf und Überforderung befindet, wie ihn die modernen Büroberufe zustande bringen.

Doch, die Leute von der Werbung sind ihr Geld wert. Wenn sie uns nicht das Rauchen als so erfrischend und gesellig darstellten, wir würden beim Stichwort »Zigarette« an gereizte Stimmung und stinkenden Qualm denken. Tun wir aber nicht! Das kann nur an den Werbern liegen.

Schmink-Set

Zum sechsten Geburtstag ein Lippenstift, aber es mußte unbedingt ein goldener sein. Nicht die Hülle golden, nein, die Farbe des Stiftes selbst. Unsere Tochter Eva hatte diesen brennenden Wunsch. In den Wochen vor dem Geburtstag war Anmalen eine Hauptbeschäftigung gewesen. Auf dem Stuhl vor dem Spiegel im Badezimmer stand sie, einen braunen Stift in der einen Hand für die Augenbrauen, einen roten in der anderen für die Lippen. Das Ergebnis war nicht unbedingt eine Verschönerung. Kann man Kindergesichter überhaupt schöner machen, als sie schon sind?

Nein, gemeint war keine Verschönerung, sondern volle Kriegsbemalung. Unter den Vorräten vom letzten Fasching fand sich Knetmasse, hautfarben, aus der sich eine neue Nase formen ließ – auch keine Verbesserung. Schwarze Striche, wild im Gesicht verteilt, ergeben leicht einen Indianer. Und mit den Haaren kann man auch viel machen: eine Wassertolle oder auch Anklänge an Irokesen und Punker. Kurzum, das Kind ist gar nicht wiederzuerkennen. Und jetzt noch ein goldener Lippenstift.

Soll man das zulassen? Nun, die Eltern wollen liberal und tolerant sein – am liebsten wären sie auch noch lieb und toll –, sie seufzen zwar ein wenig, aber lassen das Kinderherz gewähren. Denn ich sage mir: Solange es nicht der Verschönerung dient, kann es ja nicht viel schaden. So gehe ich tapfer in die Parfümerie und frage nach einem harmlosen Lippenstift für Kinder, aber bitte goldfarben. Die Verkäuferin ist keineswegs über meinen abwegigen Wunsch empört, im Gegenteil, sie sieht mich aufmunternd an und wendet sich schon halb ab, um etwas zu holen: »Wir haben auch ein ganzes Kosmetik-Set für Kinder.« Weil ich zögere, ergänzt sie: »Der ist ganz neu am Markt.« Und weil ich immer noch ein verständnisloses Gesicht mache, gar das Wort »Faschingsschminke« zweifelnd fallenlasse, wird mir mitgeteilt: »Nein, richtige, damit die Mädchen nicht immer an Mamis Sachen gehen.«

Das Köfferchen ist vorgelegt, ich darf es öffnen und sehe gleich, das ist kein Scherz mehr. Nicht Clowns und Indianer sollen hier entstehen, nicht Irokesen, Punker und Pipi Langstrumpfs, sondern allerfeinste Damen. Lippenstifte in betörenden Farben, Wimperntusche, deckende Hautcremes, Puder und Nagellack. Es fehlt auch nicht an der gehörigen Anleitung, die den größeren Kindern, die schon lesen können, erklärt, welche Tönung zu welchem Haartyp paßt und welcher Lippenstift zu welcher Tageszeit.

Ich blicke auf und suche im Gesicht der Verkäuferin nach einer Erklärung. »Nur zum Spielen, natürlich«, sagt sie, wohlwissend, daß man das am besten verharmlosen sollte. »Und alles abwaschbar, außerdem natürlich ganz unschädlich.«

Für die Haut mögen diese Dinge unschädlich sein, aber die Seele bekommt eine Botschaft mit, die sich einprägen könnte: »Jedes Gesicht ist von Natur aus unvollkommen und wird erst durch Kosmetik schön.« Erst wenn wir unser Spiegelbild nicht mehr ausstehen können und unseren Geruch hassen, blüht die Schmink- und Duftbranche.

»Haben Sie nicht eine pflegende Nachtcreme für Kinder?« frage ich mit tiefem Ernst, »etwas gegen Krähenfüße und stumpfes Haar bei Schulanfängerinnen?« Die Verkäuferin schüttelt den Kopf. »Das gibt es noch nicht«, sagt sie bedauernd und erkennt damit an, daß ich meiner Zeit mal wieder um Jahre voraus bin.

Keimfrei

Der junge Bakteriologe bereitete eine Übung vor, durch die er seine Studenten mit der sogenannten »Mundflora« vertraut machen wollte. So früh im Institut wie er selbst war sonst nur noch die Putzfrau, die bat er deshalb um die freundliche Erlaubnis, eine Probe von ihrer Mundschleimhaut entnehmen zu dürfen. Sie willigte ein, bedingte sich aber als Gegenleistung für diese Gefälligkeit, die sie der Wissenschaft erwiesen hatte, aus, als erste selbst durch das Mikroskop blicken zu dürfen.

Theodor Rosebury, so hieß der Bakteriologe, erlaubte es gern und hat es doch, so schrieb er später, bald bedauert. Als die Frau nämlich sah, wie es unter dem Mikroskop nur so wieselte und wimmelte, verließ sie entsetzt das Institut und meldete sich krank, um zum Zahnarzt gehen zu können. Der mußte ihr sämtliche Zähne ziehen. Nur mit Prothese, meinte sie, könne sie in Zukunft ihren Mund keimfrei halten.

Der Bakteriologe Rosebury machte sich noch lange Vorwürfe, der resoluten Putzfrau nicht rechtzeitig erklärt zu haben, daß sich im Mund eines jeden gesunden Menschen mehrere Milliarden Keime befinden. Befinden müssen! Im Atemhauch eines jungen Mädchens, der nach Apfelblüten duftet, schwirren sie ebenfalls in ungezählter Fülle. Und das ist gut so.

Die Bakterien, auch »Mikroben« oder »Keime« genannt, sind nämlich unsere Freunde. Sie leben nicht nur mit, sie leben auch für uns. Denn ohne diese Milliarden Kleinlebewesen, die unsere Haut und die mehr innen gelegenen Schleimhäute bevölkern, wären wir anfälliger für Krankheiten. Und wohin auch sonst mit den abgestorbenen Zellen unserer Haut, die so fabelhaft von diesen Lebewesen verspeist werden?

Unter dem Mikroskop sehen sie übrigens ebenso liebenswert aus, wie sie sind. Kügelchen und Häkchen, durchsichtige Steine oder pflanzenartige Gebilde kann man da entdecken, eine ganze Wiese voller Leben auf unserer Haut. – Aber soll ich das wirklich hier ausbreiten? Schon zur Zeit unserer Urgroßeltern ging eine wahre Bakterienangst um. Das Sterilisieren nahm überhand, der Waschzwang wurde zur Modekrankheit.

Ganz vorbei ist das nicht. Auch heute noch schaffen es geschäftstüchtige Firmen, der verängstigten Hausfrau und dem Kunden mit dem Hygienefimmel jene Reinigungsmittel anzupreisen, die angeblich keimtötend wirken. »Sauber ist nicht sauber genug!« redet man uns ein. Oder: »Tun Sie etwas gegen Bakterien!« Alles soll man desinfizieren.

Wer je ein Baby hat großziehen helfen, weiß, was ich meine. Das Präparat, in das man alle Schnuller und Flaschen zu legen hat, töte, so verspricht man uns, »Millionen von Keimen«. Von den Milliarden, die es nicht tötet, zum Glück nicht tötet, ist nicht die Rede. Gewiß, es gibt auch Krankheitskeime. Aber die sind selten und auf diese Weise nicht vorbeugend zu treffen. Dann könnte man auch alle Blumen dieser Erde ausrotten, nur weil es auch ein paar Giftpflanzen gibt.

»Um sich vor ansteckenden Keimen zu schützen«, so riet eine große deutsche Frauenzeitschrift ihren Leserinnen zur Hysterie, »wechseln Sie am besten jedes Handtuch nach einmaligem Gebrauch.« Wenn Sie aber ganz sicher gehen wollen, so füge ich hinzu, dann sollten Sie sich nicht damit begnügen, das Handtuch in die Wäsche zu tun, sondern es als gefährliche Bakterienschleuder verbrennen. Und zwar sofort.

Schildbürger

Die Fortschritte der Klebetechnik sind an sich beachtlich. Selbst in Passagierflugzeugen sollen lebenswichtige Teile nur durch Klebstoff verbunden sein. Ja, ganze Fassaden hängen an Hochhäusern, nur angeklebt. Meine eigenen Versuche zu Hause sind hingegen leider weniger ermutigend. Ich meine die vergeblichen Bemühungen, mit Zweikomponentenklebern und anderen zähen Massen aus der Giftküche der Chemie zwei Dinge, die zerbrochen sind, wieder aneinanderzufügen. Erst atmet man die Dämpfe ein, dann preßt man aus Leibeskräften, und am Ende erweisen sich die Klebeflächen als ebenso wenig belastbar wie die eigenen Nerven.

Doch soll man der deutschen Klebstoffindustrie nichts Schlechtes nachsagen. Es gibt auch verblüffende Ergebnisse. »Hier offen« steht an der Lasche der Drucksache, die ich seit Minuten aufzureißen suche. Meine Fingernägel brechen ab, die Schere ist verbogen, schließlich reißt der Karton, aber die angeblich offenen Klebeflächen halten zusammen wie Pech und Schwefel.

Unsere deutsche Chemie kann noch mehr. Das zeigt sie, wenn es darum geht, die Haftfähigkeit von Preisetiketten zu steigern. Es hat schon Weinflaschen gegeben, die wir unseren lieben Gästen auf den Tisch stellen mußten, ohne daß sich das Preisschildchen vollständig hätte entfernen lassen. Ich sollte genauer sein: Der schäbige Warenhauskonzern, bei dem wir aus Gründen des Geizes – und der Rationalisierung von Einkaufsvorgängen – den Wein geholt haben – mit schlechtem Gewissen, aber wenigstens zu guten Preisen –, also diese billige Quelle, die lacht unseren verwöhnten Gast als kleingedruckter Firmenname auf schreiend orangefarbenem Grund an. Die erste Ziffer der Preisangabe, leider bloß eine Fünf, die ich gern verborgen hätte, grinst besonders dreist von der Flasche zu jedem Gast herauf – auch sie unverwüstlich. Meine geringen Hoffnungen, die Gäste könnten diese Fünf für die erste Ziffer eines zweistelligen Markbetrags halten, schmilzen nach dem ersten Zuprosten. Preisgekrönt ist dieser Wein wirklich, gekrönt mit einem Preisschildchen!

Weil alle Preisschilder in drei Teile geschnitten sind, läßt sich zu leicht erkennen, welche Ziffer immer schon die erste war. Dreiteilig aber müssen sie sein, damit böse Kunden nicht, bevor sie zur Kasse gehen, die Etiketten vertauschen – indem sie ein billiges auf teure Ware kleben. Wir ehrlichen Kunden haben das Nachsehen.

Nun soll man die Preisschilder jedoch nicht ganz schlechtmachen, die bekommt man ja noch herunter, notfalls mit der Nagelfeile, wenn man eine Stunde bevor die Gäste kommen damit anfängt. Es gibt andere Schilder, die halten jahrelang allem stand. Das sind die silberfarbenen Herstellerwappen, mit denen Glasschalen und geschliffene Vasen heute geliefert werden. Absolut spülmaschinenfest. Ja, sie haften, als wollte sich der Hersteller die Unsterblichkeit seines Firmennamens über Generationen sichern.

»Haftunfähigkeit« kann man dem Fabrikanten jedenfalls nicht bescheinigen, obwohl ich mir schon eine Haftstrafe für ihn ausgedacht habe. Vergeblich. Er haftet leider für nichts. Seine Klebeschildchen aber für drei.

Preis nie nackt

»Sagen Sie, was kostet diese Kette mit Anhänger?« Meine Frage sei, dachte ich, für die Verkäuferin in diesem Musentempel der Goldschmiedekunst leicht zu beantworten. War sie aber nicht. Denn die junge Dame hatte noch gut im Gedächtnis, was ihr in der Berufsschule beigebracht worden war. Dort hatte es geheißen: »Nennen Sie den Preis nie ›nackt‹.« – Sie selbst hatte etwas an.

Die junge Frau wandte sich mir deshalb bewußt zu und holte, statt vom Preis zu reden, erst mal zur großen Erklärung aus: »Bei diesem Anhänger handelt es sich um ein einmaliges Stück, das ein bekannter belgischer Künstler angefertigt hat. Sie bekommen von uns ein Zertifikat mit, wenn Sie es wünschen. Sie werden Freude an diesem Stück haben...« Das war nicht schlecht formuliert, nämlich im ›Sie-Stil‹, wie es die Schulung vorgeschrieben hatte: »Während der Kundenberatung soll schon eine Verbindung zwischen dem Kunden und der Ware hergestellt werden, darum sagen wir so oft wie möglich ›Sie‹ oder ›Ihnen‹.«

Ich stöhnte leise und hakte nach: »Dann ist das einmalige Stück bestimmt auch recht teuer?« Meine Verkaufsexpertin hatte das Wort »teuer« schon seit Jahren nicht mehr in den Mund genommen, genauso wenig gab es in ihrem Wortschatz »billig«. Beide Wörter waren ihr auf der Berufsschule für immer ausgetrieben worden. »Für dieses exklusive Stück«, sagte sie statt dessen, »zahlen Sie natürlich auch einen entsprechenden Preis.« – Gut gemacht!

»Sehr interessant, nun brauche ich nur noch die Höhe des Preises«, sagte ich so höflich wie möglich. Aber es muß eine Spur Ungeduld herauszuhören gewesen sein. Leider. Denn die junge Frau sah mich fast entsetzt an. Ihr war wohl eingefallen, was ihre Lehrer und Lehrerinnen ihr eingeschärft hatten: »Vorsicht, kritische Kunden reagieren auf die ständige Verzögerung der Antwort oft ungehalten.« Sie mußte das verdächtige Flackern in meiner Stimme herausgehört haben. Ich war der kritische Kunde!

»Für diese wirklich einmalige Arbeit«, sagte sie deshalb schnell, »wären das siebenhundertneunzig Mark.« Dabei beobachtete sie mich so ein wenig aus den Augenwinkeln. Weil sich meine Gesichtszüge wohl doch nicht wie gewünscht entspannt hatten, fuhr sie fort: »Sie haben recht, der Preis erscheint auf den ersten Blick etwas hoch. Aber bitte bedenken Sie, daß Sie dafür ein Kunstwerk bekommen, das in seiner Art einmalig ist.«

Wunderbar, wie Sie mir recht gab – das ist Vorschrift – und wie sie wieder im Sie-Stil redete. Bei aller Anerkennung für ihre Vollkommenheit, ich mußte mich entschließen, sie zu enttäuschen und ihr das Ding zurückzugeben. In meiner Unbeherrschtheit murmelte ich auch noch: »Nein, das ist mir hier alles viel zu teuer.« Solche pauschalen Vorwürfe sollte man nie erheben, ungerecht sind sie und kränkend. Sie aber blieb ganz ruhig und dachte wohl nur an eins, an den wichtigsten Satz ihrer Ausbildung: »Streiten Sie nie mit dem Kunden, auch wenn er unrecht hat.« Und ich hatte unrecht. Das zeigte mir ihr trauriges Lächeln.

Trotzdem begleitete sie mich zur Tür wie einen treuen und teuren Freund des Hauses. Sie öffnete, neigte kurz den Kopf und war die Vorbildlichkeit selbst. Wie sie es gelernt hatte: »Sei höflich auch zum Ekelkunden.«

Hat schon alles

Was schenken wir nur Arnolds? Jedes Jahr vor Weihnachten die gleiche Frage. Doch, doch! Wir müssen. Denn die schenken uns doch auch immer so was Teures. Augenblick. Also, er ist doch Autofahrer, wir könnten ihm einen Werkzeugkasten für den Kofferraum schenken. Oder eine heizbare Sitzauflage. Hat er bestimmt schon. Oder er will sie gar nicht. Der hat doch schon alles. Aber sie! Sie telefoniert doch so gern. Ihr könnte man einen Telefonkabelaufroller mit Arretierungsautomatik schenken. Das ist das Neueste. Wenn auch völlig unnütz. Oder eine Verkleidung für ihr Telefon, aus echtem Samt mit Goldbordüren. Vielleicht kann sie das brauchen.

Die beiden haben wirklich schon alles. Aber dieses Argument können wir nicht gelten lassen. Sie müssen noch mehr kriegen. Doch! Sonst würde ihnen zu Weihnachten bestimmt was fehlen. Aber es fehlt ihnen doch gar nichts! Ja, schon – außer eben, wenn wir nicht an sie gedacht haben. Mit etwas ganz Besonderem. Wie wäre es denn mit einem Bonsai, der kostet mindestens hundert Mark und ist apart. Geht aber gleich ein. Dann nehmen wir eben ein Kuschelkissen für ihren Hund, diese Kissen sind heute sehr beliebt. Oder für ihn einen Gürtel mit Geheimfach. Wird heute sogar von der Kriminalpolizei für Auslandsreisen empfohlen. Nur schade, daß die Ganoven das Versteck schon kennen.

Wir könnten auch was für die Wohnung schenken. Die ist doch schon voll! Und voll dekoriert, stimmt. Aber der Wohnsinn läßt sich zum Wahnsinn steigern. An der Wand wäre bestimmt noch ein bißchen Platz. Eine Schiffsuhr aus Messing wird heute gern genommen. Oder, warte mal, da habe ich neulich so einen reizenden kleinen Wandschrank gesehen, der findet wirklich überall Platz. In dem kann man zwei Flaschen Schnaps verschließen. Braucht man nicht. Sieht aber entzückend aus. Es ginge auch für sie ein neuartiger Brillenhalter, den man an die Wand hängt. Nimmt zwei Brillen auf! Sie trägt doch gar keine Brille.

Es kommt beim Schenken ja nicht darauf an, ob man es braucht, sondern ob man es brauchen kann! Und nicht einmal darauf kommt es an. Es muß nur Freude machen. Nein, nicht für immer, nur im ersten Augenblick. Genaugenommen genügt es schon, wenn Arnolds sagen: Reizend, was die wieder für uns ausgegeben – äh, äh – ausgesucht haben.

Ich hab's, es gingen auch sechs Cocktaillöffel für hundertdreißig Mark, aber welche mit Pfiff. Denn die Stiele sind hohl, man kann mit den Löffeln auch saugen. Ist doch süß! Gut, sie haben so was alles. Sehe ich ein. Aber vielleicht noch nicht vergoldet! Man kann vergoldet alles noch einmal schenken, was die Leute schon haben. Auch ein Nagelnecessaire zum Beispiel, diesmal vergoldet unter der Bezeichnung »Maniküre besteck«, aufbewahrt in einer Dose, die die Form einer Muschel hat, auch golden... Nein! Ich geb' es auf. Lassen wir's doch einfach.

Es muß etwas sein! Ach was, spenden wir doch die hundertfünfzig Mark für einen guten Zweck, am besten auf den Namen Arnold und schicken wir ihnen den Einzahlungsbeleg. Dann kann er den Betrag von der Steuer absetzen und gilt als großzügig. Hat nur einen Nachteil für ihn: Er bekommt dann von demselben Wohlfahrtsverein alle zwei Monate eine Aufforderung zu weiteren Spenden. Der wird uns noch verfluchen. Ach was, geschieht ihm recht.

Geschmack, Geschmack

Als wir in der ländlichen Gartenwirtschaft saßen, kamen Ulf und Ulla durch die Tischreihen, der Kies knirschte, das Hallo war groß. Ja, daß man sich hier trifft! Wir rückten zusammen, wir tranken und schwatzten. Aber Ulf war doch auffällig abwesend, bis er endlich erwähnte, wir sollten uns wenigstens noch sein neues Auto von innen ansehen. Ja, wie konnte ich das vergessen haben, das mußten doch Ulf und Ulla gewesen sein, die aus diesem knallroten Wumm-Schlitten geklettert waren, der, kurz bevor die beiden hier auftauchten, hinter den Büschen geparkt worden war. »Nur mal reingucken«, sagte Ulla.

Gut, ich trottete als Abordnung der Familie mit und wußte: Mitfreude war angesagt, ja Bewunderung. Ein Italiener, das sah ich gleich. Aber meine fachmännische Bemerkung »Testarossa« blieb doch unerwidert. – Man rät ja nicht gern zu hoch, peinlich. – Brandrot das Gefährt. Wir gingen andächtig herum, dann öffnete Ulf die Beifahrertür, und was sahen meine geblendeten Augen: innen alles pink und schwefelgelb. Oh, Gott!

Ich ließ mich, wie ich sollte, in den Sportsitz fallen und merkte, es war alles echtes Leder, handgenäht in zwei Farben, und was für welchen! Wirklich pink und schwefelgelb der ganze Innenraum. Erwartungsvolle Stille. »Ist das«, fragte ich Ulf, »alles nach deinen Anweisungen angefertigt, du feiner Pinkel?« – »Die Italiener machen das noch«, sagte er wie zur Entschuldigung, »man kann sich die Farben aussuchen.« – »Junge, du hast einen Stil, so gerade heraus wie ein Besenstiel!« – »Nein, den Besenstiel hat Ulla«, entgegnete Ulf, »auf dem reitet sie nachts.«

Wieder diese Stille, er sah mich immer noch so erwartungsvoll an, ich mußte etwas zum Inneren dieses Renners sagen. Um zum Guten zu reden, brachte ich schließlich heraus: »Besser so einen Geschmack als gar keinen.« – »Du meinst, ich hätte keinen guten Geschmack«, erwiderte Ulf ruhig, »da hast du recht. Ich habe mich noch nie mit dem guten Geschmack begnügt, sondern wollte immer den besseren.«

Man muß wissen, Ulf arbeitet in der Unterhaltungsbranche und verdient da einiges. »Je mehr man ausgeben kann«, versuchte ich ihn zu entschuldigen, »desto schwerer ist es, noch geschmackvoll zu bleiben.« Er nahm das als die erwartete Anerkennung. Ich stieg aus, Ulla warf sich an meiner Stelle in das Schwefel-Pink-Gemisch und versicherte, es gehe hier überhaupt nicht um Geschmacksfragen, denn niemand solle das Auto essen. Und etwas ernster fügte sie, Triumph in den Augen, hinzu: »Was ich an Ulf am meisten bewundere, seit er sich für mich entschieden hat, ist sein Geschmack.«

Sosehr ich ihr darin recht geben mußte, ich nahm Ulf beiseite und bedeutete ihm, er müsse sich jetzt eine neue Freundin suchen; Ulla passe einfach nicht zu dem Auto, ihre Augenfarbe grün-grau liege klar daneben. Ulf zögerte und strich sich übers Haar. »Ich werd's mir überlegen«, sagte er nachdenklich, »weil du und ich wirklich noch besser zusammenpassen würden, wenn wir in diesem Pink-und-Schwefel-Leder säßen.« Während ich mich geschmeichelt fühlte, fügte Ulf erklärend hinzu: »Ich als der feine Pinkel und du gelb vor Neid.«

Kaum hatte er es ausgesprochen, wechselte ich, um ihn schnell zu widerlegen, wie eine Ampel von Gelb auf Rot.

Die armen Reichen

Jetzt möchte ich mich mal den wirklich Reichen unter uns zuwenden, und ich tue das, sichtlich erleichtert, mit der Feststellung, auch diese Menschen könnten nicht mehr als ein Buch gleichzeitig lesen. Also, was ist Reichtum? Menschen, die sich selbst für reich halten, gibt es nicht. Reich ist immer der andere, der mehr hat als man selbst und den man deswegen als irgendwie über einem stehend empfindet. Stimmt ja auch, er steht auf einem höheren Konto. Gerade deshalb will ich versuchen, mir und anderen einzureden, Reichtum wäre nicht erstrebenswert. Wie lebt denn solch eine menschliche Luxusausgabe?

Sein Haus liegt in einem Park, seine Angestellten nehmen ihm fast jede Arbeit ab. Und wenn unser Mann in der glücklichen Lage ist, für seinen Reichtum nicht einmal arbeiten zu müssen, weil er das schon hinter sich oder gar den ganzen Krempel geerbt hat, dann lebt der gute auch noch in ewigen Ferien. Neidisch? Leider.

Schleichen wir uns schnell in sein Herz und fragen wir uns, wie es da drinnen aussieht. Ich will jetzt gar nicht davon reden, daß Geld allein nicht glücklich macht, wofür Barbara Hutton früher ein ebenso überzeugendes Beispiel war wie später der junge Krupp. Nein, ein anderer Kummer ist es, der im Herzen unseres Reichen nagt. Es ist die Verzweiflung darüber, daß er nicht zu den Superreichen gehört. So ist das nämlich, man vergleicht sich auch da oben mit denen, die noch mehr haben. Und das macht bekanntlich unglücklich; auch unseren Reichen. Was ist sein kleiner Sportflieger schon gegen das Flugzeug der wirklich Reichen, was seine Segelyacht gegen das, was man so von Onassis gewohnt war.

Dieser Aristoteles Onassis wurde übrigens mal gefragt, was man vom Superreichtum für Vorteile habe, und er soll geantwortet haben: »Daß man keine guten Ratschläge mehr zu hören bekommt.« – Wir übergehen hier taktvoll ein anderes Eingeständnis desselben Reeders, der geseufzt haben soll: »Ein reicher Mann ist oft nur ein armer Mann mit sehr viel Geld.«

Was ich also sagen wollte: Auch ein Mensch mit einem

kleinen, bescheidenen Reichtum gerät bald in eine Gesellschaft, in der es noch viel reichere Reiche gibt – und um diese Erfahrung ist er nicht zu beneiden. Das ist die Strafe: Die Reichen müssen mit ihresgleichen verkehren. Und, Hand aufs Herz, wer will das schon freiwillig? In dieser Gesellschaft ist nämlich der Unterschied zwischen oben und unten noch grausamer ausgeprägt als in der unsrigen.

Ich kann es wohl doch nicht verbergen, daß ich mir klarzumachen versuche, was alles gegen den Reichtum spricht. High-Society, sage ich mir, ist der Versuch, Lebensglück durch Geld zu ersetzen. Einräumen muß ich jedoch, daß es theoretisch den wahren Lebenskünstler geben könnte. Er meidet die Gesellschaft der anderen Reichen; er geht regelmäßig zur Arbeit und genießt sein Geld inkognito. Das wäre Lebensart! Aber dazu gehörte eine Seelenstärke, die die eigenen Wünsche immer wesentlich kleiner hält als die reale eigene Macht, sie wahrzumachen. Und wer kann das schon? Wir dürfen also doch – im Brustton des falschen Mitleids – sagen: die armen Reichen!

Ich hoffe immer noch, daß mich diese Darstellung bald auch selbst überzeugen wird.

Vorteile und Vorurteile

Charismatische Führungskräfte

Aus der frühen Kindheit haben wir ja alle irgendeine seelische Fehlhaltung mitgebracht. Ich jedenfalls. Zu meiner Sammlung kindlicher Schädigungen gehört leider auch der Tick, in einem Menschen, der größer ist als ich, sofort den Älteren und Überlegenen zu wittern. Eine Witterung, mit der man sehr reinfallen kann. Wie viele Riesen mit Baßstimme und beeindruckender Ruhe gibt es doch, die einfach nicht halten wollten, was ich mir von ihnen versprochen hatte.

Bitte verstehen Sie mich nicht falsch, wenn ich jetzt auf Bundeskanzler Kohl zu sprechen komme. Aber ich bin überzeugt, daß er schon in jungen Jahren zu seinen Führungsqualitäten zählen konnte, die anderen zu überragen. Man kann ihn so schlecht übersehen. Bei Wahlkampfveranstaltungen betritt er noch heute am liebsten von hinten die Halle und schreitet, während sein Gefolge untergeht und unsichtbar bleibt, erhobenen Hauptes durch die begeisterten Massen.

Sein Vorgänger Helmut Schmidt betrat hingegen mit gutem Grund das Podium meist direkt von vorn, und selbst da dachte sich das Publikum, während es zu ihm aufblickte: »Er ist doch noch kleiner, als er im Fernsehen wirkt.« Nun konnte Schmidt aber etwas anderes, und damit komme ich wieder auf unser aller Eindrücke aus der Kindheit zurück, er konnte gut reden. Das ist nämlich das andere, was wir in unseren ersten dreizehn Lebensjahren gelernt haben: Wer besser reden kann, der ist älter, klüger und mächtiger als wir.

Mit dieser Bewunderung für Schönredner kann man allerdings ebenso reinfallen wie mit dem Anhimmeln der stattlichen Übergrößen in der Politik. Sicher ist nur, daß die meisten brillanten Formulierer zu kurz geraten sind und diesen Mangel eben mit Rhetorik zu kompensieren gelernt haben – wahrscheinlich als sie fünfzehn waren und merkten, daß sie es anders nicht packen würden. Kurt Biedenkopf fällt einem da auf der Stelle ein, ebenso sein Nachfolger in Nordrhein-Westfalen, Norbert Blüm. Oder der saarländische Napoleon Oskar Lafontaine.

Ein amerikanischer Soziologe, S. D. Feldman, hat im Jahre 1971 festgestellt: Jeder der seit 1900 gewählten amerikanischen Präsidenten war größer als seine Konkurrenten. Wer das für Zufall hält, könnte umgestimmt werden, wenn er liest, was im ›Wall Street Journal‹ stand: Universitätsabsolventen, die eine stattliche Länge haben, bekommen Anfangsgehälter, die im Durchschnitt um zwölf Prozent höher liegen als die ihrer Kommilitonen.

Für Männer also eine klare Aufgabe: Wenn schon körperlich Mittelmaß, dann wenigstens rhetorisch ein Überflieger. Entweder stattlich gebaut oder ein brillanter Formulierer. – Ich weiß ja nicht, wofür Sie sich, meine Herren, mal entschieden haben. – Wenn es weder mit der einen noch mit der anderen Eigenschaft so ganz geklappt haben sollte, bleibt Ihnen nur noch der Kompromiß aus beiden. Aber das ist dann nicht mehr wirklich eindrucksvoll. Schade.

Der gute Jochen Vogel mit seiner Aktentasche und seinen verbalen Klimmzügen steht da für viele Politiker. Er fällt nicht genügend auf. Er ist weder übergroß noch überaus mitreißend. Jedenfalls trifft er nicht die Muster, die wir aus der Kindheit noch mit uns herumtragen. Denn was ein großer Bruder und Leithammel ist, spüren wir instinktiv und folgen. Ganz egal, was er mit uns vorhat.

Schönheit siegt

Es kann nicht schaden, schön zu sein. Wirklich nicht! Um das zu beweisen, braucht man nur ein paar Porträtfotos herumzureichen und die Leute zu fragen, mit wem von den Dargestellten sie gern befreundet wären. Kein Wunder, die Schönen haben immer die größten Chancen.

Das sehen die meisten Schönen selbst ganz anders. »Ach,

wissen Sie«, sagt das bildhübsche weibliche Fotomodell, »ich leide richtig darunter, daß mich immer alle so anstarren.« Und der notorische Gutausseher winkt ab – so bescheiden, wie er nur kann und sagt: »Ich weiß nicht, ich finde mich gar nicht schön, und außerdem ist Gutaussehen auch ein Problem. Glauben Sie mir, man wird ja überall als leichtlebiges Sonntagskind nicht so recht für voll genommen.«

Das sollten wir diesen Glückskindern nicht wie bare Münze abnehmen. Der Leidensdruck muß mäßig sein, denn sonst würden sich diese naturschönen Menschen nicht auch noch so besonders sorgfältig herrichten und anziehen. So lästig kann also die Schönheit nicht sein, daß man sie nicht noch vergrößern möchte. Wer sich unauffällig machen wollte, könnte etwa das Haarewaschen ein paar Tage ausfallen lassen oder die Klamotten noch mal anziehen, die schon für die Kleidersammlung bereitliegen.

Geleugnet wird auch von den Durchschnittlichen etwas, nämlich daß sie von Schönheit beeindruckt sind. Als Allensbach die Leute fragte, ob das »gute Aussehen« in der Politik eine Rolle spiele, stimmte nur ein Drittel zu. Ich nehme an, die sechzig Prozent, die »nein« sagten, wollten nicht wahrhaben, was offenkundig ist. Bewundert hingegen habe ich einmal die Ehrlichkeit eines Kollegen, der zugab, seine Sekretärin wenigstens »unter anderem« wegen ihrer Schönheit ausgewählt zu haben. Die meisten Menschen bekennen sich nicht dazu, von solchen Äußerlichkeiten abhängig zu sein. So wenig wie man zugibt, sich die neuesten Hits zu kaufen, eine Vorliebe für echtes Silber zu haben oder Illustriertenromane zu lesen. Man ist ja nicht oberflächlich.

Wenn man sich schon nicht von seinen Vorurteilen lösen kann, sollte man sie wenigstens kennen. Unausrottbar ist uns die Vorstellung mitgegeben, die Schönen seien auch die Guten; und zwei gewaltige Industrien, die Werbung und der Film, nutzen das aus und verstärken unsere alte Vermutung. Hier sind die Schönen wirklich die Guten. Die bösen Typen erkennt man schon an den stechenden Augen und den plumpen Fingern. So wird der alte Wunschtraum, daß es auf dieser Erde Engel geben möge, in uns wachgehalten.

Mehr als drei Seiten aber hat niemand: Verstand, Seele und

Körper; man kann auch sagen Geist, Herz und Erscheinung. Dazu gehören die Eigenschaften klug, edel und schön. Weil wir einem Menschen nie mehr als zwei gute Seiten zugestehen, ergibt sich: In den Augen seiner Mitmenschen kann man entweder schön sein und edel, dann ist man nicht klug. Oder edel und klug, dann ist man nicht schön. Oder klug und schön, dann ist man nicht edel. Ja, wirklich, nicht einmal die Schönen haben bei uns die Chance der Vollkommenheit. Wir hängen auch ihnen, unseren Lieblingen, etwas an.

»Schöne Menschen sind dumm!« Das ist unsere Rache an diesen Engeln auf Erden.

Erfolgsorientiert

Abends im Dunkeln mußte ich mich vor meinen Kindern bewähren. Meine Frau war schon bei dem Versuch gescheitert, in der Wildnis eines alten Gartens der Familie ein Schild zu entfernen, das jemand dort mit zwei dicken Nägeln befestigt hatte. Nun mußte ich ran.

Mit den Händen zerrte ich an den rostigen Dingern. »Vater schafft es auch nicht!« rief unsere Tochter Eva, damals sechs Jahre, bedrückt der Mutter zu. Aber ich steigerte mich gewaltig und hatte schließlich doch die krummen Nägel aus dem Baum herausgezerrt; ohne Werkzeug, denn das hatten wir nicht. Mit Triumphgefühlen lief Eva zur Mutter und verkündete: »Wir haben es doch geschafft!«

Ich erzähle diese kleine Begebenheit nicht, um Eva anzuschwärzen. Sie hat sich nur so ausgedrückt, wie das alle Menschen tun. Droht der Mißerfolg, so wird der Scheiternde persönlich benannt: »Vater schafft es auch nicht!« Ist der Erfolg da, klingt es schon anders: »Wir haben es doch geschafft!« Jeder kennt es und macht es nicht anders, es sei denn, er ertappt sich rechtzeitig selbst. Nicht anders sprechen die Fans nach dem Fußballspiel. Wurde der eigene Verein geschlagen, sagt man: »Die haben verloren.« Sonst: »Wir haben gewonnen.«

Der Erfolg, sagt man, hat viele Väter und Mütter. Der alte Hindenburg, als Sieger von Tannenberg verehrt, mußte diesen Sieg ständig mit seinem Untergebenen Ludendorff teilen, der sich der Tat rühmte. Gefragt, wer denn nun der Sieger sei, soll Hindenburg geantwortet haben: »Ich weiß nicht, wer die Schlacht gewonnen hat, ich weiß nur, wenn sie jemand verloren hätte, wäre ich das gewesen.«

Nichts ist so erfolgreich wie der Erfolg, darum muß man ihn ein wenig aufblasen, wenn er nur klein ausgefallen ist. Ein schönes Beispiel für hohes Pathos fand sich einmal in der ›Welt am Sonntag‹. Da lautete eine Überschrift auf der ersten Seite: ›Amerika ehrt Axel Springer‹. Sosehr ich zur Mitfreude neige, ich wollte es doch genauer wissen, wie ganz Amerika es geschafft hatte, sich zu diesem großartigen Entschluß durchzuringen. Würde der Präsident die Ehrung vornehmen, stand der Kongreß dahinter? Bei genauerem Hinsehen war jedoch zu erkennen, daß die juristische Fakultät einer kleineren Universität des Mittelwestens dem Deutschen eine Ehrendoktorwürde überreichen wollte. Das war also »Amerika«.

Solche liebenswürdigen Übertreibungen finden sich dicht gedrängt in Künstlerbiographien. »Bald interessierte sich der Film für sie«, heißt es da von einem Sternchen. Und was darf man dabei unter »der« Film verstehen? Es war wohl ein Regisseur, der mit dem Sternchen essen gehen wollte – ein Ereignis, in dessen Folgen beide Seiten große Hoffnungen setzten, wenn auch durchaus verschiedene. »Es liegen Angebote aus Hollywood vor«, kann heißen, daß eine Agentur von dort endlich mal einen Fragebogen geschickt hat, weil sich der Schauspieler um einen Platz in dieser Kartei heftig beworben hat.

»Und so urteilt die Wissenschaft...«, schreibt der Kosmetikhersteller, nachdem er sich endlich eine teure Stellungnahme von einem Herrn mit Professorentitel hat leisten können.

Wenn das Filmsternchen, was wir ihm alle wünschen, wirklich einmal eine Nebenrolle bekommen sollte, der Film aber dennoch ein Flop wird, so wird sie wissen, was sie zu sagen hat: »Der Regisseur hat alles versaut.«

Asarum europaeum

Wenn ich meinen geheimen Größenphantasien nachhänge, fällt mir manchmal voller Neid eine Geschichte aus meiner Göttinger Schulzeit ein. Der Wandertag führte uns durch einen herrlichen Buchenwald. Unser Klassenlehrer, der ungewöhnlich kenntnisreiche Dr. Solf, Naturwissenschaftler und äußerst präzise, pflückte ein niedriges Gewächs, das dort den Boden blau-grün bedeckte. Ein nierenförmiges, glänzendes Blatt.

»Weiß jemand von Ihnen, was das ist?« fragte Solf, und verwundert konnten wir heraushören, daß er nicht fragte, um uns zu prüfen, sondern weil er es selbst nicht wußte. Er hatte keine Antwort erwartet, aber mein Zwillingsbruder trat vor und sagte laut: »Das ist Asarum europaeum.« Solf lächelte amüsiert: »Ja, ja, Hirsch, ich kenne Ihre Scherze«, sagte er und steckte das Blatt mit einem vielsagenden Blick ein.

Am nächsten Tag kam er zu Beginn der Schulstunde auf mich zu – auf mich, denn kein Lehrer konnte uns Zwillinge unterscheiden – und sagte nur: »Hirsch, Sie hatten recht, Asarum europaeum.« Mein Zwillingsbruder nickte befriedigt, hat dem verwunderten Solf aber nicht erzählt, daß er nur zwei Pflanzen mit lateinischem Namen kannte.

Es ist mein Wunschtraum geblieben, auch mal mit ausgefallenem Wissen im richtigen Augenblick glänzen zu können. Kindliche Größenvorstellungen. Aber es war wieder mein Zwillingsbruder Christoph, der noch einmal einen Auftritt hatte. Bei einer Familienfeier, einer Konfirmation, saß auch der Physiker und Nobelpreisträger Werner Heisenberg mit an der Tafel. Der Vater der Konfirmandin hatte uns zum Anstoßen aufgefordert und gemeint, wie oft nun die Gläser klängen, dafür hätten die Mathematiker sicherlich eine Formel, er müsse das nicht wissen.

»Das ist ganz einfach«, rief mein Zwillingsbruder, »die Formel lautet ›n mal n minus 1, halbe‹.« Während alle Anwesenden verblüfft waren – zumal der Zwischenrufer ein schlichter Jurist ist –, korrigierte Nobelpreisträger Heisenberg persönlich die Formel halblaut und nachsichtig, indem er aus dem Minus ein Plus machte. »Nein, Entschuldigung, minus!« rief mein Bruder keck über den ganzen Tisch zurück, »minus, denn man stößt ja nicht mit sich selbst an.« Ich glaube, wir anderen hatten alle den Eindruck, dieser Widerstand gehe doch etwas weit. Heisenberg sagte aber schnell: »Ja, ja, ist mir recht!« Woraufhin seine Frau meinem Bruder zuprostete und sagte, diesen Augenblick werde er wohl sein Lebtag nicht vergessen.

Auch hier ist es das Geheimnis meines Bruders geblieben – ich darf es aber ausplaudern –, daß er keine andere mathematische Formel im Kopf hat als diese. Und gerade mit der mußte er groß rauskommen. Zudem dramaturgisch gut gesteigert durch den Widerspruch, den er zunächst bei dem bedeutenden Mann weckte, der jedoch den kürzeren zog – und seinen Rückzug antrat mit einer Formulierung, die ich für schlechthin elegant halte, nämlich »ist mir recht«, was hier soviel bedeuten sollte wie »ich hatte unrecht, dies aber ist richtig«.

Das habe ich mir auch immer gewünscht: zur Stelle sein mit ausgefallenem Wissen, ohne daß man den Auftritt provoziert hätte; in aller Bescheidenheit vorbringen, was niemand erwarten konnte. Aber Größenideen werden bei mir leider so selten wahr – anders als bei meinem Zwillingsbruder.

Der Reisemarschall

Es gibt Journalisten, die ihren Beruf nur ergriffen haben, um ständig Weltreisen machen zu können. Also, dieses Maß an Planung, Umsicht und Weltgewandtheit wäre nicht meine Sache. Eine Reise von Hannover nach Hamburg schaffe ich jedoch gewöhnlich pannenfrei. Wobei es mir aber lieber ist, wenn meine Frau für alle Fälle mitfährt.

Selbst das hält Streß für mich bereit, denn ich weiß, was ein Mann zu tun und daß er wenigstens die Zugverbindungen im Kopf zu speichern hat. Als Ansporn und Abschrekkung steht mir da immer noch ein früherer Kollege meiner Frau vor Augen, der mit ihr eine Dienstreise durch die USA machte und ihr, bei allem gegenseitigen Wohlwollen, doch durch den hilflos wiederholten Ausspruch unvergeßlich ist: »I don't see any taxi.«

Das soll mir nie passieren, dachte ich, als meine Frau und ich gegen Abend zu einer privaten Fahrt nach Hamburg aufbrachen. Ich sollte dort an einer Kleinkunstveranstaltung mitwirken und abenteuerliche Glossen wie diese vorlesen. Meine Frau und ich hatten zuvor den Kindern gute Nacht gesagt mit dem Versprechen, sie am anderen Morgen wie immer um halb sieben zu wecken. Wir fuhren mit der Bahn, die uns auch wieder zurückbringen sollte. Die letzten Züge zurück von Hamburg nach Hannover, so hatte ich mir fest eingeprägt, gehen kurz vor und kurz nach Mitternacht.

Der Abend mit einem Shantysänger, einem Bar-Trio und einer Diseuse war so amüsant, daß die Zeit verrann. Um halb zwölf sah meine Frau im Abfahrtsbüchlein der Bundesbahn nach dem passenden Zug, blätterte lange und fragte mich dann in ihrer sanften Art, wo meine Mitternachtszüge wohl abführen. Ich zeigte sie ihr, aber das waren leider Züge in der Gegenrichtung, von Hannover nach Hamburg.

Mit anderen Worten, unser nächster Zug ging so gegen halb sechs. Und die Kindlein schlummerten daheim, ohne Wecker, verlassen und unbeschützt. So wie ich in diesem Augenblick muß sich ein Tier fühlen, wenn die Falle zuschnappt. Meine Frau, hinter der sich das Fallengitter ebenfalls geschlossen hatte, obwohl sie unschuldig war, sagte gar nichts mehr. Und wer sie kennt, weiß, daß dieses ratlose Schweigen schon die äußerste Steigerung von Aggression und Vorwurf darstellt, zu der sie fähig ist.

Nur jetzt niemandem von den Tischgenossen zeigen, wie verzweifelt ich war! Wenn ich doch bloß einen Gedanken fassen könnte. Hatte ich je so in der Tinte gesessen?

Wie bei Kleindarstellern üblich, bekamen wir Mitwirkenden unser Honorar in einem Umschlag gleich ausgehändigt. Die zwei blauen Scheine brachten mich schon halbwegs auf die verzweifelt gesuchte Idee, wie ich mich als gescheiterter Reisemarschall aus unserer Lage befreien könnte. Und dann kam mir der Exkollege in den Sinn, mein abschreckendes

Vorbild mit seinem ewigen »I don't see any taxi«. Ja, genau das war's!

Mit den Worten: »Wir fahren mit dem Taxi nach Hannover«, wandte ich mich derart weltmännisch an meine Frau, daß ich aus der Versager- augenblicklich in die Heldenrolle schlüpfen konnte. Schon der erste Fahrer in der Taxischlange am Hauptbahnhof war bereit, uns für das frisch erworbene Honorar – plus zehn Prozent – in die Hannoversche Heimat und zu den Kindern zu kutschieren. Ich habe die Fahrt genossen wie Graf Rotz seine Touren im Rolls Royce.

Als Pazifist und Kavalier

Es war Freitag, und – wie ich ungern gestehe – der Dreizehnte, als ich nachmittags im nordhessischen Treysa einen Eilzug bestieg. Ich setzte mich lieber nicht zu den drei wilden jungen Männern, sondern in ein anderes Abteil zu einer ganz jungen Dame, die eifrig las.

Urlaute drangen an mein Ohr, röhrendes Brüllen, jemand rüttelte an den Schiebetüren der Abteile. Da kam auch schon eine Dame von etwa dreißig mit ihrer Reisetasche eilig in unser Abteil gehuscht und erklärte etwas atemlos, sie habe vor drei Männern lieber die Flucht ergriffen. Auch sie setzte sich ans Fenster, ich saß an der Tür und blickte auf den Flur. Langsam näherte sich unserem Abteil ein langer junger Mann, von dem ich nicht hätte sagen können, daß er – das Kinn vorgeschoben, der Blick stechend – besonders umgänglich ausgesehen hätte.

Plötzlich trommelte er mit den Fäusten an die Scheiben wie ein wildes Tier. So etwas erlebt man sonst nur im Film, dachte ich. Dann riß er die Tür auf und schob sich raumfüllend herein, den starren Blick auf die Damen gerichtet. Das einzige, was mir einfiel, war, daß ich nun in dem Dilemma steckte, das in den Prozessen der Kriegsdienstverweigerer eine berüchtigte Rolle spielt: »Sie gehen mit einer Dame nachts durch den Park, als auch schon der Notstand in Form eines Unholds eintritt.« Ja, soll man als Pazifist – oder soll man nicht?

Schweren Herzens erhob ich mich, stand zwischen dem Besucher und den Frauen und probierte es, da Worte nichts nutzten, mit sanftem Druck, bald mit Schubsen. Tatsächlich, der Bursche ging ein wenig rückwärts. Das ermutigte mich außerordentlich. Er stand wieder im Türrahmen, als ich allerdings zu bemerken glaubte, daß der Gute nur Anlauf für einen gekonnten Schwinger holen wollte. Ach, er hielt gerade so schön still, und so versuchte ich selbst einmal mein Glück. Ich traf mit der Faust seinen Backenknochen, gleich noch mal die Kinnspitze und erwartete den Effekt, der mir aus Filmen wohlvertraut ist. Aber nichts! Der Junge stand noch wie 'ne Eins, guckte nur etwas verwundert.

Was soll ich sagen, die Sache nahm ihren Lauf, nämlich dergestalt, daß nun einer seiner Kumpel auftauchte, kleiner als er, aber nicht vertrauenerweckender. Ein Kampf zu dritt um die Vorherrschaft an der Tür begann. Der Schaffner kam vorbei, zog es aber vor, wie ein geübter Butler diskret zur Seite zu blicken. Gerade als der Lange so im Flur stand, daß er einen Daumen im Türrahmen hatte, gelang es mir, die Tür mit aller Wucht zuzuschieben. Tatsächlich, der Daumen machte einen etwas geknickten Eindruck, aber der Indianer, der zu diesem Daumen gehörte, kannte leider keinen Schmerz.

So war ich bald gezwungen, mich im Sitzen zu verteidigen, mit Füßen und Fäusten. Blut floß. Die beiden mitreisenden Damen nutzten die Gunst der Stunde zur stillen Flucht, die auch ich gern angetreten hätte, aber nun hatten mich die beiden Herren fest im Griff. Ich brüllte um Hilfe, aber die Abteiltüren blieben ziemlich gut verschlossen, bis im nächsten Bahnhof, es war Wabern, die beiden Männer auf der falschen Seite ausgestiegen und über die Gleise getürmt waren. Da füllte sich der Flur.

Ich erkannte den Dritten aus dem Trio und fragte ihn: »Na, Bundeswehr?« – »Nein«, sagte er: »JVA Wiesbaden, Hafturlaub.« Also, wenn ich vorher gewußt hätte, mit welchen Profis ich mich da am Freitag den Dreizehnten angelegt hatte... Aber ein Kavalier genießt und schweigt.

Abheben

In Altenboitzen, meiner zweiten Heimat, ein Dorf in der Südheide, hatte ich mich, wie so oft im November, unter Büchern vergraben und an der Schreibmaschine festgesetzt, als mir das Geld ausging. Darum radelte ich ins Nachbardorf, wo es nicht nur einen Laden für alles, sondern auch eine Sparkassenfiliale gibt. Es war schon winterlich, durch Schal und Wollmütze pfiff der Wind. Ich stellte mein Rad ab, ging hinein in den Schalterraum und wartete bescheiden im Hintergrund, denn es standen noch andere Kunden am Schalter.

Dann nahm ich meine Plastiktüte in die linke Hand, ging auf den Schalter zu und hatte den Eindruck, die Angestellten hinter der Glasscheibe seien so beschäftigt, daß mich keiner freiwillig bedienen wollte. Nur zögernd kam dann jemand, ich schob den Scheck hin, legte auch die Scheckkarte vor und bekam mein Geld. Dabei warf ich einen scheuen Blick durch die Scheibe und hatte den Eindruck, als tuschelten die Angestellten, zwei Frauen und ein Mann, miteinander und als könnten sie ihre gute Laune kaum verbergen, weil sie wieder unter sich waren.

Viele Wochen später fuhr ich mal wieder ins Nachbardorf, diesmal in den Laden, der alles hat. Der Inhaber sagte zu dem Mann, mit dem er gerade sprach: »Komm, erzähl es ihm!« Der druckste herum und brachte dann vor, seine Frau arbeite in der Sparkassenfiliale, und da sei ich doch mit dem Fahrrad vorgefahren. Ich nickte.

Ja, so besonders gut rasiert wäre ich wohl auch nicht gewesen, fragte er. Ich nickte. Und was ich angehabt hätte, das wüßte er ja nicht, aber ein dicker Schal und eine Wollmütze könnten dabeigewesen sein. »Kann sein, na und?« sagte ich. »Jedenfalls hatten Sie eine Plastiktüte in der Hand.« – »Kommt vor«, brummte ich, »darf doch sein.« – »Ja«, bestätigte er mir das, »aber gekannt haben die Angestellten Sie nicht, und da hat der Chef zu meiner Frau gesagt, so, jetzt gehst du ganz vorsichtig an die automatische Kamera, knipst ihn, und wenn er eine Waffe zieht, drückst du den Alarmknopf!«

Seine Frau habe aber, als sie meine Scheckkarte sah, das Lachen kaum verbeißen können, denn eigentlich kenne man sich ja hier in der Gegend. Sie habe es kaum abwarten können, bis sie es den andern erzählen konnte, wen sie da als Bankräuber verdächtigt hätten, den Herrn Hirsch aus Altenboitzen.

Woraus man schließen darf, daß es nur zwei Möglichkeiten gibt, an einem trüben Novembertag als Ortsfremder in einem abgelegenen Dorf anstandslos zu Geld zu kommen. Entweder wirft man sich in Schale und fährt standesgemäß vor, oder man ist unrasiert, setzt sich noch eine Pudelmütze auf, zieht sie ordentlich ins Gesicht; nimmt eine dicke Stange Lakritze in die rechte Faust, während die linke die Plastiktüte fest umklammert hält, und schiebt der Kassiererin einen Zettel zu. Noch bevor sie in ihrer verständlichen Aufregung das Gekritzel als einen Scheck erkennen kann, füllt sie die Plastiktüte, die man ihr ebenfalls zugeschoben hat, mit lauter echten Geldscheinen.

So braucht man sich abschließend nur für die unverdiente Großzügigkeit zu bedanken, sich auf sein Fahrrad zu schwingen und ist in den nächsten Feldweg eingebogen, ehe die vertrauten Sirenentöne nahen.

Notlügen

Ein Lehrer verteilte in seiner vierten Klasse Fragebögen, auf denen ein paar Wörter standen. Die Schüler brauchten nur anzukreuzen, ob sie das Wort kannten oder nicht. Nun war der Lehrer nicht dumm, er hatte eine kleine List eingebaut. Auf seinem Fragebogen standen nämlich auch Wörter, die es gar nicht gibt.

»Weißt du, was das Wort ›Kmulp‹ bedeutet?« wurde da zum Beispiel gefragt. Man kann sich schwerlich denken, dem Wort schon mal begegnet zu sein. Auffallenderweise kreuzten aber einige Kinder doch die positive Antwort an. Sie konnten um so leichter vorgeben, das Wort zu kennen, als sie nicht beschreiben mußten, was es bedeuten sollte. »Ranifieren« war diesen Schülern ebenso bekannt wie »düchten«; auch eine solche Ausgeburt der Phantasie wie die »Bernole« war ihnen durchaus geläufig.

Als der Lehrer die Fragebögen auswertete, war er sehr zufrieden. Alles, wie er sich's gedacht hatte: Die intelligenten Kinder waren mutig genug gewesen zuzugeben, daß sie die erfundenen Wörter nicht kannten. Viele Kinder mit Schulschwierigkeiten jedoch hatten einfach angekreuzt: »Ja, kenne ich.« Sie hatten sich nicht getraut, ihre Unkenntnis zuzugeben. Sie hatten gemogelt.

Der Lehrer sah sich voll bestätigt. »Die wirklich begabten Kinder«, so sagte er sich, »sind also auch die charakterlich besseren, denn sie sind ehrlich. Wer unbegabt ist, mogelt auch noch. Habe ich mir gedacht.«

Mit dem Ergebnis seines raffinierten Tests wandte der Lehrer sich an einen jüngeren Kollegen, um Eindruck zu machen. Er hatte allerdings vergessen, daß der Kollege in dem Verdacht stand, Sozialist zu sein. »Das ist doch ein ganz mieser bourgoiser Trick von Ihnen!« rief der junge Kollege. »Das Bürgerkind hat es natürlich einfach, sich auch mal zu einem Nichtwissen zu bekennen. Aber das Proletarierkind muß eben mit allen Mitteln um jeden Vorteil kämpfen und greift notwendig auch mal zur Lüge, um sich überhaupt in der Klasse halten zu können.«

Der ältere Lehrer packte seine Unterlagen ein und verließ wortlos den Raum. So etwas wollte er sich nicht bieten lassen. Auch noch die Lüge zu verteidigen! Meine geneigten Leser werden sich auch das ihre gedacht haben. Und wenn ich jetzt sage, was ich davon halte, werden einige von Ihnen heftig mit dem Kopf schütteln.

Ich bin nämlich der Meinung, eine solche Lüge sei Notwehr. Wenn mich ein Kind anlügt, dann muß ich mich wohl fragen, womit ich es so in die Enge getrieben habe, daß es keinen anderen Ausweg mehr wußte. Ich denke da an meine eigene Kindheit. Und so ist es wohl auch unter Erwachsenen. Wer angelogen wird, hätte Grund, sich zu fragen, womit er den anderen dazu gebracht hat, seine einzige Rettung in einer Lüge zu sehen. Ich höre förmlich, wie einige, denen ich diese Ansicht zumute, mit der flachen Hand auf den

Tisch hauen und ausrufen: »Jetzt rechtfertigt der auch noch die Lüge!« Nein, nicht ganz. Ich wollte nur sagen, die Lügen der anderen Leute sind meist ebenso entschuldbar wie unsere eigenen. Allerdings, nur von unseren eigenen wissen wir, daß sie alle verzeihlich sind.

Von mir kann ich sagen: Sollte ich in den letzten Jahrzehnten weniger gelogen haben als in der Kindheit, so einfach deswegen, weil ich es weniger nötig hatte.

Liebesromane und Pornohefte

Liebe Leserin – wenn ich mich mal so unmittelbar an die Weiblichkeit wenden darf –, Sie lesen bestimmt keine Lore- und Gloria-Romane, also nicht diese Liebesgeschichtenheftchen, die von Schmerz und Gefahren, von Treue und unendlichem Glück handeln. Nein, darüber sind Sie erhaben. Und doch, das ist wirklich etwas für Frauen! Nur Frauen nämlich kaufen diese Herz- und Schmerzhefte. Der Mailänder Soziologe Francesco Alberoni hat sich vor einen Kiosk gestellt und uns aufgefordert, ihm im Geiste dorthin zu folgen. Da hängen, schreibt er, an der einen Seite diese Hefte, die nur von Frauen gekauft werden. Und was gibt es am Kiosk für die Männer? Ja, das ist leider noch peinlicher, das sind die Pornohefte. Daraus schließt Alberoni, daß Frauen und Männer ganz verschiedene Sehnsüchte haben. Die Frauen sehnen sich nach der großen, immerwährenden Liebe und die Männer nach dem schnellen Erlebnis.

Das wird nicht allen von uns schmecken. »Wir kaufen keine Liebesromane!« sagen die Frauen. Gut, ich kaufe auch keine Pornos. (Sosehr sie mich anlocken könnten!) Aber wäre es, bei all unserer persönlichen Enthaltsamkeit nicht doch reizvoll, den Unterschied zwischen Frauen und Männern an dem zu studieren, was am Kiosk aushängt? Immerhin gilt der Umkehrschluß: Es gibt keine Pornohefte für Frauen, und es gibt keine Liebesromane für Männer. Einfach kein Bedarf. Das ist doch auffällig, oder?

Worum es im Porno geht, das umschreiben wir besser diskret. Ich erkläre es Ihnen darum anhand der anderen Sparte am Kiosk, die auch nur für Männer da ist, die Technikzeitschriften. Männer lieben Autos, die mächtig was unter der Haube haben; lieben Motorräder, die auf Schenkeldruck sofort reagieren. Sie lieben Computer, die auf Knopfdruck das volle Programm automatisch ablaufen lassen. Sie lieben es, Waffen zu haben, die ihnen Macht verleihen und andere gefügig machen. Wissen Sie nun, was Männer unter Liebe verstehen?

Was Frauen hingegen unter Liebe verstehen, erkläre ich Ihnen am besten auch indirekt, anhand einer weiteren Sparte am Kiosk, die auch nur für Frauen da ist, ich meine die Zeitschriften über Wohnung, Haus und Garten. Es ist vielleicht nicht sehr bekannt, aber auch diese Zeitschriften, gemacht für die schöne Umgebung, werden fast ausschließlich von Frauen gekauft und gelesen; während die Männer sich gern als Heimwerker sehen, die es nicht schön haben wollen, sondern die etwas auf die Beine stellen möchten, auf das sie stolz sein können. Die Frauen kaufen natürlich auch die unübersehbar zahlreichen Blätter, die hauptsächlich von Kosmetik und Kleidung handeln. Wissen Sie nun, was Frauen unter Liebe verstehen? Die Frau will alles um sich herum vorbereiten und verschönern, die Haut und die Stoffe darum herum, die Möbel, die Pflanzen, den Garten – als Hülle für das ewige Glück. Der Seligkeit ein Nest bauen, damit die Liebe ewig bleibt.

Derweil bohren und sägen die Männer, vertiefen sich in Mitteilungen wie »von Null auf Hundert in acht Sekunden« und träumen sich auf die Landstraße. Wenn das so ist, wäre nur noch eine Frage offen: Wie können zwei Geschlechter, die so unterschiedliche Auffassungen vom selben, nämlich von der Liebe, haben, einander jemals glücklich machen?

Vorteile durch Vorurteile

Als James Hogg, Reporter der BBC, einen Film über die Bundesrepublik drehte, fand er die Bewohner arbeitswütig und humorlos. In seinem Film hieß es dann: »Jeder fremde Besucher wird schnell herausfinden, daß alle Klischees über die Deutschen stimmen.« Für diesen Satz müssen wir unserem Reporter richtig dankbar sein, denn schöner hätte er nicht beschreiben können, wie Vorurteile wirken.

Ein Vorurteil hat es so an sich, daß es durch alle künftigen Erfahrungen nur immer bestätigt wird. Zugegeben, das klingt ein wenig paradox, aber so ganz unbegreiflich ist es auch nicht. Wenn ich erst einmal ein Vorurteil habe, nehme ich nur noch die Beobachtungen wahr, die mich bestätigen. Ja, warum sollte ich mich denn auch freiwillig selbst widerlegen? Unsere neuen Erfahrungen sind meist nur die Belege für unsere alten Urteile.

Ein deutscher Journalist, der seit zwanzig Jahren in London lebt, schrieb einen Leserbrief nach Hause und klagte darin über den Verfall des Sprachgefühls in Deutschland. Er berief sich auf sein altes Urteil: »Was ich in den seither vergangenen zwei Jahrzehnten in den Medien hörte und las, scheint mir diese traurige Theorie zunehmend zu bestätigen.« Ja, Herr Kollege, schönen Gruß nach London, aber offen gesagt: Vorurteile sind eben genau jene Urteile, die in der Lage sind, sich »zunehmend zu bestätigen«, um es mit Ihren Worten zu sagen. Weil wir diese Bestätigung suchen – unbewußt suchen.

Es gibt dafür auch sehr liebenswerte Beispiele. Eine Ehefrau hörte ich mal sagen, sie habe am 4. Mai Hochzeitstag, und da sei immer gutes Wetter gewesen, nun schon seit über dreißig Jahren. Herzlichen Glückwunsch, aber das Stichwort »selektive Wahrnehmung« sollte ich hier dennoch fallenlassen, auch »wohltätiges Vergessen« könnte ich erwähnen. Wenn doch einmal schlechtes Wetter war, so wird die gute Ehefrau das schnell verdrängt oder zur Ausnahme erklärt haben. Man ist ja nicht kleinlich, und Ausnahmen bestätigen die Regel – da man sie zu Ausnahmen erklärt und wo es Ausnahmen gibt, muß es auch eine Regel geben.

Finden sich denn gar keine begründeten Urteile, zum Beispiel in der Wissenschaft? Doch, doch. Schon Mark Twain sagte: »Die Vorurteile eines Professors nennt man Theorie.« Etwas milder gestimmt ist da der Verhaltensforscher Konrad Lorenz, der sich und seinen Kollegen geraten hat, jeden Morgen zum Frühstück eine eigene wissenschaftliche Lieblingsvorstellung zu verspeisen. Das hält beweglich und lockert gewiß das Brett vor dem eigenen Kopf.

Ist aber sehr schwer, denn zu den Eigentümlichkeiten der Vorurteile gehört es, daß man selbst keine hat. Ist doch klar. Wenn wir unsere eigenen Ansichten dumm fänden, hätten wir sie nicht. Also ist das eigene Vorurteil unsichtbar. Lieber sagen wir zu unserem Gegenüber: »Sehr klug, was Sie sagen, war schon immer meine Meinung!«

Es gibt in Hannover eine »Freiherr von Knigge Gesellschaft«, die sich nach dem berühmten Benimm-Herrn nennt, weil er ein Vertreter der Aufklärung war. Die Hannoversche Gruppe will nun ihrerseits die Aufklärung befördern. Das tut sie vornehmlich dadurch, daß sie beim politischen Gegner die »Dunkelmänner« einer gefährlichen »Gegenaufklärung« ausmacht. Nur frage ich mich, kann jemand, der sich selbst für aufgeklärt hält, wirklich aufgeklärt sein?

Opa Neumann

»Jetzt gehen wir noch rauf zu Opa Neumann«, sagte die Leiterin des Altersheims, als ich dort für eine Reportage zu Besuch war. Im ersten Stock sah ich einen langen, zart gebauten Mann am großen Flurfenster stehen. Wir begrüßten uns, und die Heimleiterin sagte: »Opa Neumann steht hier oft und sieht hinaus.« Die hellen Augen des alten Mannes füllten sich augenblicklich mit Tränen. Er konnte nichts sagen. Darum wandte sich die Leiterin an mich mit einer Erklärung: »Er sieht immer die Straße entlang und wartet darauf, daß ihn sein Sohn besucht. Aber der kommt nur ein- oder zweimal im Jahr, obwohl er hier in der Nähe wohnt.« Der alte Herr nickte stumm.

Wir gingen zu dritt in sein Zimmer. Er versuchte seine Tränen zu beherrschen, und ich konnte ihn nach seinem Leben fragen. Schließlich kam ich auf seine Kinder zu sprechen. Er habe drei, sagte er. Sie alle kämen nicht. Von den beiden anderen erwarte er das auch nicht, die seien weit weggezogen. Nein, einen Grund, weswegen seine Kinder nicht kämen und kaum mal einen Brief schrieben, kenne er auch nicht. Ob er vielleicht ein zu strenger Vater gewesen sei, wollte ich wissen. »Nein, überhaupt nicht.« Ob er seine Kinder mit Schlägen erzogen habe. »Ja«, sagte er lebhaft, »natürlich, das war ja auch oft nötig.« Es entstand eine lange Pause, und dann setzte er hinzu: »Ich habe es immer gut gemeint, und es ist auch aus allen was geworden.«

Der alte Mann war schmal, sah fast zerbrechlich aus; er sprach sanft und bedächtig. Ich konnte mir kaum vorstellen, daß er ein harter Vater gewesen sein könnte. Und doch war ich in dem Augenblick fast sicher. Die Kinder hätte ich jetzt gar nicht mehr zu fragen brauchen. Ich ertappte mich dabei, wie ich plötzlich weniger mit dem alten Vater fühlte als mit dem erwachsenen Sohn.

Ich habe mir später ausgemalt, ich würde den Sohn kennenlernen und er würde mir davon erzählen, wie er in seiner Kindheit gelitten habe unter einem Vater, der alles von ihm verlangte und dem man nichts recht machen konnte. Zart sei der Vater gewesen, hellblau die Augen, die Stimme sanft, aber er habe ihn gehaßt. Und dann würde der Sohn hinzufügen: »Ich hasse ihn immer noch und besuche ihn nur, wenn es unbedingt nötig ist. Er weint dann viel – so wie ich früher.«

Ja, es ist schwer, hier nicht Partei zu ergreifen. Am liebsten würde ich für beide, für den Vater und für den Sohn eintreten. Ich glaube, in unserer Gesellschaft nimmt man aber meist nur für die armen alten Eltern Partei. Das Elend der erwachsenen Kinder sieht man weniger. »Du sollst Vater und Mutter ehren«, dieser Satz aus den Zehn Geboten ist ja an sich wahr. Aber ich habe schon als Kind das Gegenstück dazu vermißt, nämlich ein Gebot wie »Du sollst deine Kinder ehren, auch wenn sie klein sind«. Nicht nur wegen der Moral, das Gebot wäre ja allein schon ein Stück Altersvorsorge. Wenn ich im Wartezimmer beim Arzt erlebe, wie eine

Mutter ihr kleines Kind anzischt, wie sie ihm fast alles verbietet, dann denke ich: »Die wird ein einsames Alter haben«, auch wenn ich den Gedanken gleich verwerfe.

Die Geschichte von Opa Neumann habe ich hier erzählt, um sie irgendwie loszuwerden, denn sie geht mir nach. War er seinen Kindern am Ende doch ein guter Vater? Ich weiß es nicht. Ich habe sein Leid gesehen. Alles andere blieb im dunkeln.

Eike Christian Hirsch

Expedition in die Glaubenswelt
32 Proben auf das Christentum.
351 Seiten, gebunden.

Vorsicht auf der Himmelsleiter
Auskünfte in Glaubensfragen.
334 Seiten, gebunden.

Der Witzableiter
oder Schule des Gelächters
328 Seiten, gebunden.

Kopfsalat
Spott-Reportagen für Besserwisser.
192 Seiten, gebunden.

Wort und Totschlag
Peinliche Pointen
208 Seiten, gebunden.

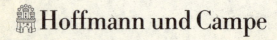
Hoffmann und Campe